C0-ABF-820

PASSAGE

POTTERY BARN

espacios de trabajo

TEXTO
martha fay

FOTOGRAFÍA
mark lund

DISEÑO
michael walters

EDITOR EJECUTIVO
clay ide

Santillana Ediciones Generales, S.A. de C.V.
Av. Río Mixcoac 274, Col. Acacias, CP 03240, México D.F.

Título original: Pottery Barn Workspaces
Edición original: Weldon Owen Inc.
Coordinación editorial: Gerardo Mendiola P.
Colaboradores: Gonzalo Ang y Rafael Arenzana
Primera edición en español: febrero 2012

Los créditos de la página 192 forman parte de esta página.

Primera publicación por Weldon Owen Inc. en 2004

ISBN-978-607-11-1791-5

Impreso en Singapur
Printed in Singapur

STAMFORD CONN

10
THEATER
2000

Trabajar con estilo

Una cómoda silla para leer, una lámpara de escritorio, una pared con las fotos predilectas: trabajar en casa tiene una atracción casi incomparable. Sea una oficina tradicional en casa, el estudio de un artista o la cocina, el área de trabajo perfecta es la que funciona igual que usted. Todos queremos que nuestras oficinas en casa sean elegantes y funcionales para tener un toque del pasado, pero con las ventajas del presente. Las mejores áreas de trabajo son remansos que estimulan la imaginación, reflejan la personalidad de usted y ayudan a concentrarse en las tareas a mano.

En Pottery Barn, creemos que un área de trabajo verdaderamente buena equilibra la organización con la comodidad y el estilo. Este libro está diseñado para ayudarle a crear un área del trabajo con su toque especial. Cada capítulo ofrece una gama de ideas para escoger, sea que su trabajo incluya libros y archivos, proyectos de jardinería o administrar una casa. Todas las imágenes de este libro son de casas verdaderas, y ofrecemos fáciles maneras de aplicar las ideas que usted ve en estas páginas a su propia área de trabajo. La información presentada aquí puede adaptarse a cuartos de diferentes formas, tamaños y usos. En *Espacios de trabajo*, encontrará los instrumentos imprescindibles, la sabiduría práctica, y el ánimo creador que usted necesita para hacer de su espacio un maravilloso lugar de trabajo.

EL EQUIPO DE DISEÑO DE POTTERY BARN

contenido

monday
tuesday
wednesday
THANK YOU
The Adventures
The Memoirs
The Return
His Last Bow
8
3
5
2

3
4
5

monday
tuesday
wednesday
Kabuki 8
Presenting cr
* DUPLEX
7:15 PM Sun 09/28/03
AD PRI $9.00
VOID IF DETACHED
THANK YOU
Customer Copy

su estilo

Royal Crown

La expresión *espacio de trabajo* conjura distintas imágenes para cada uno de nosotros: a unos, muchas herramientas brillantes, acomodadas en una mesa de trabajo; a otros, un espacio despejado, con silla, escritorio y lámpara para escribir, o una clara luz del norte para pintar. Trátese de una oficina profesional en casa, un rincón en la sala o un espacio ganado a la zona de servicio, un cuarto de trabajo es lo que más satisface el anhelo de un "un lugar propio", difícil de tener, y ofrece algunas oportunidades irresistibles para crear uno.

Otras cosas para considerar son aquellas más específicas para su tipo de trabajo y el mobiliario adecuado: un escritorio para una oficina en casa o una mesa grande para el estudio de un artista.

Elegir almacenaje (independiente o integrado, abierto o cerrado) y una combinación de tipos de iluminación necesitan una planeación cuidadosa. Tenga presente la ergonomía: altura de la mesa, comodidad de la silla, espacio para desplazarse y ventilación. ¿Hay lugar para una tumbona o una colchoneta para ejercicio? El espacio de trabajo compartido presenta desafíos especiales, pero proporcionan ventajas en el diseño. Colocar los escritorios espalda con espalda o hallar otros métodos de zonificación creativa permitirá que un espacio sirva a más de una persona a la vez.

El espacio de trabajo ideal va de acuerdo con el propósito y la pasión. Diseñe su lugar para inspirar creatividad, ser agradable y ayudarse a terminar el trabajo.

Como cuestión de gusto personal, un espacio de trabajo puede ser elegante o austero, acogedor o reluciente, tradicional o individual. Como un asunto práctico, lo que desea es facilidad de uso y un sitio al que anhele regresar día tras día. Piense en lo que lo hace más feliz cuando trabaja. ¿Es la vista inspiradora o la ausencia de desorden? Algunos trabajamos mejor cuando todo está al alcance de la mano; otros disfrutan una excusa para cruzar la habitación en busca de papel para la impresora. Quizá le guste una silla acogedora para leer o un sofá cama para una siesta. Tal vez busca intimidad; o por el contrario, prefiere un escritorio grande para compartir con su cónyuge.

Si hay poco espacio, instale la oficina en el hueco de las escaleras. Añada toques personales, como un toque de color a una pared, una galería de dibujos o fotos familiares, una exposición de herramientas o de tesoros hallados, o una rica colección de accesorios. Cree un espacio que lo haga desear estar ahí una hora más para terminar el dibujo, el dobladillo o las cuentas de la casa. Después de todo, una oficina exitosa en casa es aquella de la que no tiene prisa por partir.

En la oficina en casa

Una oficina adecuada satisface al usuario más exigente. El mayor lujo al instalar una oficina en casa es que puede hacer las cosas a su manera. Esta es su oportunidad para aplicar todas las reglas que definen el estilo de la oficina. Adelante, y dese gusto con sus preferencias.

Para hacer una oficina propia, es necesario pensar fuera de "lo común". Tradicionalmente definida por un escritorio, una silla, un teléfono, una lámpara y lugar para guardar, una oficina en casa no necesita ser un clon de una oficina común para funcionar bien. Olvide el "atavío de negocios" y arregle su sala de trabajo con muebles, colores, materiales y accesorios que hagan que se sienta bien en casa.

Este bonito espacio aprovecha opciones de muebles de oficina estándar para proporcionar las comodidades esenciales de un espacio de trabajo en un ambiente cómodo y personalizado. Diseñado para ser flexible, el cuarto se divide en tres zonas: una terminal de trabajo, un área cómoda para sentarse y un espacio conveniente para almacenar archivos. Una laptop con conexión inalámbrica facilita moverse del sofá al escritorio y regresar; el material de oficina se guarda en una bandeja para transportarlo con facilidad a otro sitio en el cuarto. En lugar de los archiveros tradicionales, un juego de espaciosos cofres para almacenar y un librero estilo escalera añaden carácter al espacio. Un piso hermosamente diseñado y lámparas de mesa, como las que elegiría para una sala, ofrecen una alternativa agradable a la iluminación de oficina común.

Un teléfono antiguo y una mesa con terminado con pintura para pizarrón, *izquierda,* crean un centro de comunicación ingenioso. **Un tablero de anuncios blanco,** *derecha,* armoniza con la pared y atrae la atención a las notas coloridas, que sirven como recordatorios.

SWEET RICE
糯 米
E
STEPHEN KING
DREAMCATCHER
LOVE WAR
NORTH SOUTH
LASHER
TALTOS

La tecnología inalámbrica elimina la necesidad de cables y permite usar los rincones como sitios de trabajo. Tener los suministros ocultos, las impresoras en un clóset y los archiveros metidos en los aleros ayuda a mantener una atmósfera espaciosa. El marco abierto de una mesa del comedor o de la biblioteca ofrece espacio por todos los lados para sentarse y crea una mayor sensación de espacio.

Una simple oficina en casa que ofrece varias zonas de trabajo permite una rutina flexible y favorece muchas tareas.

Una mesa maciza y con líneas puras puede convertirse en un escritorio, cuando el almacenamiento está disponible en otro sitio. Al añadirle ruedas, este escritorio puede llevarse cerca de la ventana o contra la pared para añadir espacio en el piso. En los pasillos y otros sitios estrechos, donde puede ser muy difícil mover el mobiliario, elija muebles ligeros y fáciles de mover para aprovechar al máximo el espacio limitado.

Una mezcla ecléctica de muebles y terminados armoniza con una sensación general de orden. Con zonas de trabajo, para sentarse y para almacenar equilibradas por igual dentro del cuarto, una paleta neutra unifica el espacio y aumenta la sensación de frescura.

Detalles de diseño

Paleta de colores

Tonalidades neutras (blanco, marrón y café) dan a esta oficina un aspecto limpia y profesional. Estos colores clásicos y atemporales crean una atmósfera tranquilizante en la zona de trabajo que propicia la concentración. Los espacios amplios de blanco hacen que todo el cuarto (incluso espacios estrechos) parezcan grandes. Toques de café claro en el área de los asientos tapizados y el marrón suave del área del tapete añaden calidez.

Plano del cuarto

Al dividir un cuarto pequeño en tres zonas (el escritorio, una pared para almacenamiento y un área para sentarse que propicia el trabajo y la conversación) aumenta una sensación de accesibilidad en este espacio. Mientras una persona trabaja cerca de la ventana, otra puede acomodarse en el sofá para llamar por teléfono, leer el periódico, entrevistar a clientes o trabajar independientemente en una laptop. La distribución despejada hace accesibles las superficies de trabajo y el almacenaje y facilita el tráfico. Un tapete cuadrado de color claro vincula visualmente las tres áreas.

Materiales

Roble Madera duras, el roble es resistente a las raspaduras y duradero, lo que lo hace una elección ideal para los pisos de madera.

Pintura para pizarrón Este terminado permite tomar notas en mesas, paredes y otras superficies.

Tapetes lisos Los tapetes con tejido plano ofrecen una superficie durable y aislante del ruido sobre la que se pueden mover con facilidad las sillas con ruedas.

espacio

MILAN KUNDERA

Tenga mucho o poco espacio, el obtener lo máximo de él depende de elecciones sabias. Si meditamos un poco, un rincón rara vez utilizado de la sala o un espacio para un escritorio y una silla puede convertirse en una oficina privada en casa, compacta. Pensar acerca del espacio no sólo en metros cuadrados, sino en relación con el impacto visual y la facilidad de uso, aumenta su habilidad para crear un cuarto que funcione. Sea creativo con el espacio: piense en el propósito del cuarto, las necesidades de cada usuario y el número de visitantes. Cada espacio de trabajo tiene sus propias demandas (las que requiere la oficina de un escritor y un cuarto familiar son distintas y requieren de diseño diferente). Sin embargo, los mejores espacios de trabajo tienen características en común: sentido de orden, superficie de trabajo despejada, buena iluminación y sitio para guardar los suministros, la papelería y otros artículos.

En un espacio pequeño, los requerimientos de almacenaje se satisfacen mejor en forma vertical. Use libreros de piso a techo o gabinetes apilados. Coloque luces colgantes del techo para liberar espacio en el piso. El mobiliario que sirve para almacenar beneficia un espacio de trabajo chico. Los cubos para archivar pueden servir como asientos si se les coloca un cojín; un banco que tenga base con marco que se abra puede servir para guardar libros o revistas. Use las paredes vacías. Cuelgue un tablero de anuncios para notas o para herramientas; instale estantes empotrados a la pared o repisas no profundas para mantener los artículos a la mano.

Hay más opciones en espacios más grandes, pero también las consideraciones de compartir y de tránsito. En un cuarto con muchos usuarios, divida el espacio en áreas o separe las mesas de las paredes para fácil acceso. Al asignar espacios de almacenaje separados por usuario se hace más rápido la limpieza. Si planea el espacio, las cajas para archivar pueden acomodarse para ayudar al tráfico directo o puede establecer estaciones de trabajo discretas. Un acomodo en forma de L de mesas de trabajo a nivel de la cintura las convierte con facilidad de escritorios a centro artesanal.

Recuerde que el espacio tiene algo de ilusión. Un techo alto puede hacer que un cuarto parezca grande; un color pálido y brillante en las paredes hace que un cuarto parezca grande. El espacio no es sólo el área definida por cuatro paredes, sino la forma en la que esa área se vive y se usa.

Espacio es lo que usted logra con él: un mundo propio, un rincón tranquilo, un sitio para reunir sus pensamientos. No es cuánto espacio tiene, sino qué tan bien lo utiliza.

FEBRUARY 1994
MARCH 1990
MARCH 1989
MAY 1989
ABITARE
A
392 • Febbraio 2000 • REPORT • 500 prodotti
ABITARE
356 • Novembre 1996 • Case-fattoria • Giovani prog
DECEMBER 1991
Sunset

Trabajar con un plano abierto

Un desván espacioso ofrece lecciones que se aplican a cuartos de trabajo grandes o chicos. Cree zonas flexibles con estación de trabajo central y una mezcla de piezas fijas y movibles. Con acceso de 360 grados, una oficina despejada ofrece versatilidad y una sensación de espacio.

Ya sea que trabaje en un desván grande con techos altos y mucha luz o en un estudio chico, es fácil lograr una sensación de espacio. El truco es aprovechar al máximo la distribución con un área de trabajo central y mucho lugar para almacenaje bien planeado.

Si su sueño es tener una oficina en casa con un plano abierto que se sienta espaciosa y agradable, fije zonas de trabajo flexibles con muebles independientes que se alcanen desde cualquier punto. Al "alejar" su escritorio de las paredes, da un acceso de 360 grados a una estación de trabajo.

Para mantener líneas de visión claras a través del cuarto, elija archiveros con líneas limpias y un marco abierto o piezas con nivel medio, en lugar de que se extiendan desde el piso hasta el techo. Incluso si prefiere estantes integrados, no es necesario mantenerlos planos contra las paredes. Aquí, los estantes sirven como divisores del cuarto y dejan espacio para moverse. Deje espacio libre en los estantes para ofrecer marcas entre las zonas de trabajo o para añadir elementos esculturales que se vean desde ambos lados. En este espacio, las maquetas arquitectónicas ayudan a separar una pared de libros y a crear exhibiciones interesantes.

Las maquetas arquitectónicas, *izquierda,* en estantes abiertos, son divisores esculturales e intrigantes. **Líneas limpias,** *derecha*, añadidas a un espacio de trabajo organizado y espacioso. La sensación de espacio se refuerza por los techos altos y las tonalidades claras que aumentan la luz natural desde arriba.

Aquí, un escritorio flotante aumenta el espacio y crea más área de trabajo. En lugar de mesas alineadas de manera tradicional, un par de elegantes mesas con cubierta de Plexiglás para cocina (que pueden reacomodarse con facilidad) forman un doble escritorio con espacio extra para sentarse. Una tercera mesa crea un retorno en forma de L y sirve como sitio para la computadora en un rincón. Una base con ruedas hecha de madera precortada y acero inoxidable facilita mover la computadora.

La cubierta de Plexiglás del escritorio, *arriba*, funciona como espacio de trabajo y carpeta de diseño. Fotos que inspiran se colocan bajo la superficie y pueden actualizarse con regularidad. Se deja sin adornar una pequeña sección para usarla como tablero de noticias, que se borra en seco. **Las superficies blancas y frescas del cuarto,** *derecha*, se enriquecen con pisos de madera color miel, un tapete sisal o henequén y una silla de ratán.

El planeado diseño de esta oficina hace un uso imaginativo y práctico de la cubierta del escritorio y de cada metro cuadrado. Una mesa cubierta con Plexiglás brinda un área de exhibición y un sitio para mantener los documentos a salvo de derrames.

Un espacio de trabajo majestuoso y lleno de luz motiva a los soñadores productivos.

Los muebles modulares modular y los materiales de fácil mantenimiento logran espacios versátiles y amistosos para el usuario. La luz natural, y las lámparas de escritorio con brazos ajustables proporcionan luz en cada zona de trabajo.

Se pueden instalar carritos para transportar computadoras o artículos pesados, como las cajas para archivar. Añadir ruedas a cualquier mueble es una forma fácil para duplicar su uso e incrementar la flexibilidad. Utilice bancos ajustables como asientos extra. Pueden colocarse bajo el escritorio para mantener libre el paso o para poder rodar las sillas.

Un escritorio multiusos, *izquierda*, proporciona zonas para la computadora, una caja de luz y una plancha de corte. **Un cuarto de trabajo bien diseñado,** *derecha*, multiplica el número lugares con un acomodo estratégico de mesas.

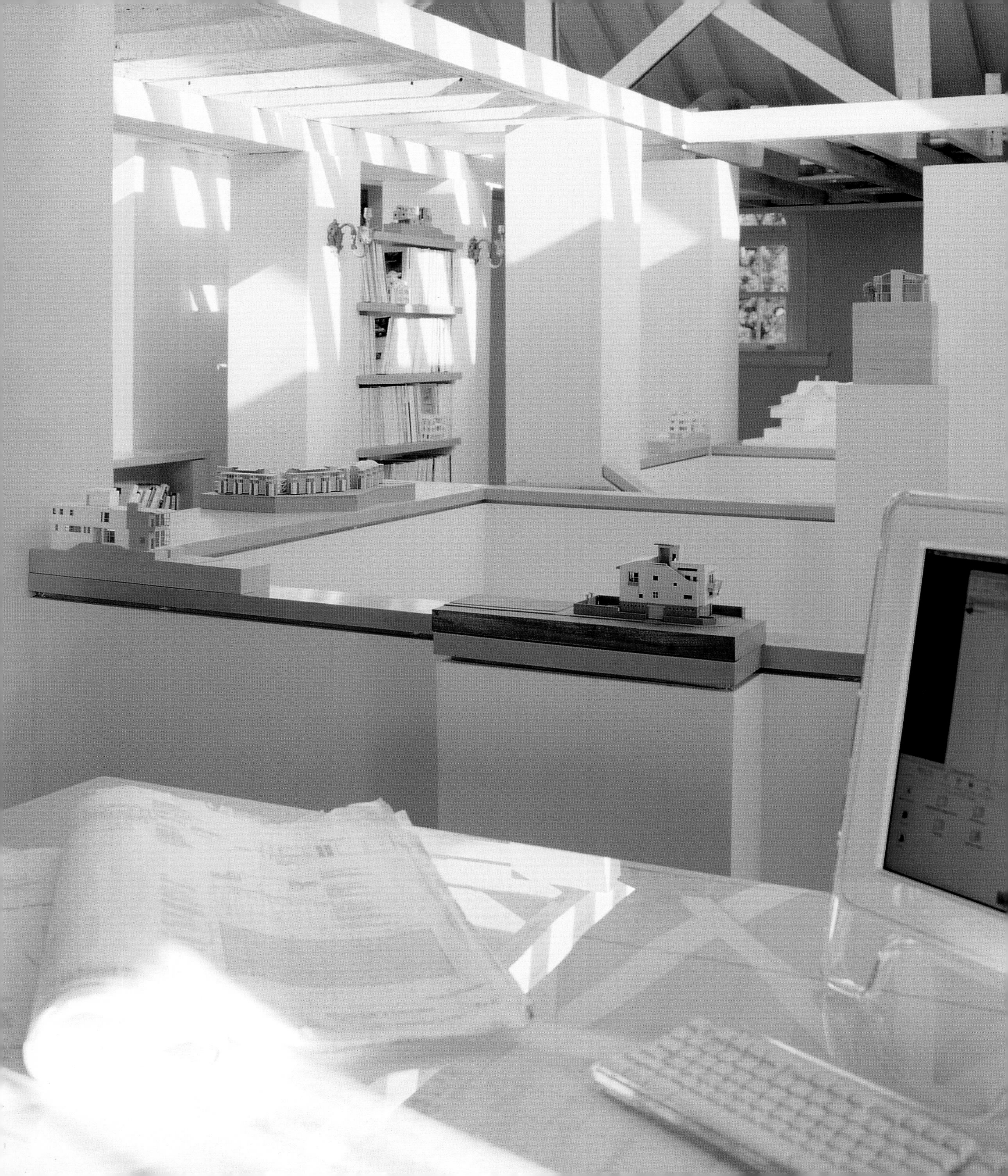

Detalles de diseño

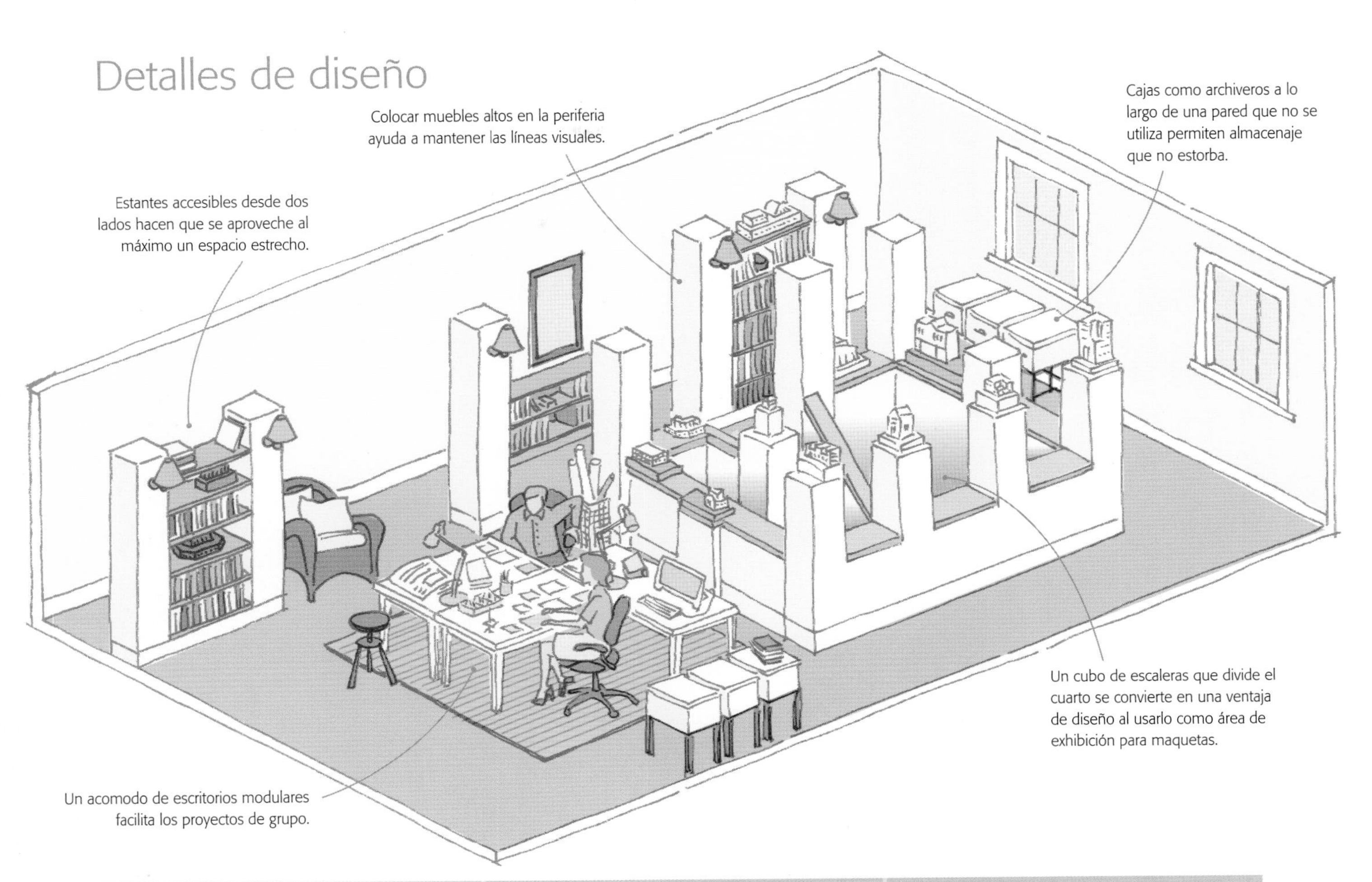

Paleta de colores

El blanco puede ser cálido o frío y el tinte que elija afecta sutilmente todo en el cuarto. Un blanco cálido en las paredes de este cuarto contiene tonos amarillos que complementan el color miel claro de los pisos de madera y de los estantes. El blanco frío del escritorio tiene matiz azul, buen complemento para los accesorios metálicos del escritorio. Los tonos negros en las sillas de malla y bancos giratorios añaden un contraste moderno.

Plano del cuarto

El diseño de esta oficina aprovecha el cubo de las escaleras que divide el espacio en dos secciones. La del frente es la más grande y contiene la estación de trabajo principal. El resto está dividido en zonas de almacenaje y de tránsito. Los "corredores" paralelos, definidos por varios pares de libreros, dan acceso a los libros y a los archiveros y permiten que las personas circulen. Los escritorios flotantes van de acuerdo y ofrecen acceso de 360 grados a las estaciones de trabajo, lo que ayuda en los proyectos grupales y acentúa una sensación de espacio.

Materiales

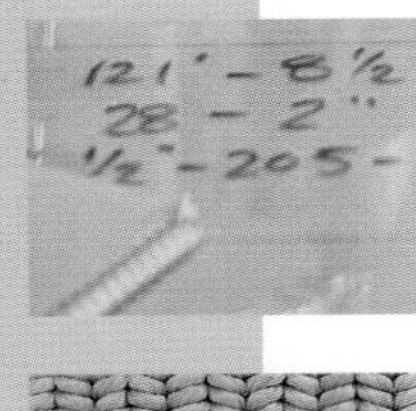

Plexiglás Marca de hojas de acrílico transparente. Este material sintético es ligero, fácil de limpiar y proporciona una superficie de trabajo versátil y práctica.

Sisal Fibra vegetal, tejida en tapetes con textura durables que ocultan la suciedad y resisten las manchas.

Acero Material favorito para oficinas, clásico de la alta tecnología. El acero es una aleación de hierro con un pequeño porcentaje de carbono para resistencia.

Un cuarto de trabajo para invitados

Para muchos de nosotros, una oficina en casa debe servir también como un cuarto para invitados. Para hallar un equilibrio, elija muebles para guardar discretos y versátiles: una silla cómoda, libros e iluminación ajustable para trabajadores dedicados y visitantes nocturnos.

No todos nosotros nos damos el lujo de tener una oficina en casa para uso exclusivo. Muchos tenemos cuartos de trabajo que deben cumplir también otras funciones, sean de salón de entretenimiento, estudio o como cuarto para invitados. En este último caso, usted deseará una oficina con muebles adaptables, que sean cómodos para los visitantes y prácticos para trabajar. Recuerde las necesidades de sus invitados, pero tenga cuidado para no permitir que una función se imponga sobre la otra. Las áreas de trabajo deben estar equilibradas con los espacios para dormir, de tal manera que el cuarto anime la creatividad y la relajación.

Una capa de pintura blanca en las paredes es un buen fondo para un cuarto que tiene más de un uso, en especial cuando el espacio escasea. Añada toques con elementos agradables, como fundas de sarga cálidas, con textura de tapete y holgadas, y cortinas blancas de algodón. Elija muebles simples y acogedores. Las formas aerodinámicas aumentan la sensación de espacio. Los archiveros decorativos evitan que los archivos importunen a los invitados. Una pirámide de maletas o un armario antiguos, acondicionado este como estación de trabajo para la lap top, dan un toque mágico.

Las maletas de lona apiladas, *izquierda y derecha,* forman un exhibidor novedoso para una atesorada colección de literatura y de novelas de misterio, además de que sirven también para guardar archivos, comprobantes fiscales y ropa de temporada. Las etiquetas antiguas y coloridas para equipaje indican el contenido de cada maleta para una rápida localización.

Incluso la ajetreada oficina en casa puede volverse con rapidez un cuarto para invitados, si tiene muebles adaptables y decoración adecuada para ambos propósitos. Una cama nido puede ocultarse en el cajón grande, sin sacrificar espacio o comodidad. Una mesa simple con cubierta blanca junto a la ventana puede servir como escritorio o para desayunar, según se necesite.

Elija muebles para doble propósito para satisfacer las demandas de una oficina en casa y de un cuarto de huéspedes.

En este apacible cuarto de huéspedes, los archivos y el material de oficina están fuera de la vista, pero es fácil consultarlos si se necesita. En lugar de archiveros, el escritorio tiene un panel con una lona colgante para guardar, que puede doblarse y quitarse. Un espacio adicional se halla en la pila de maletas antiguas que puede formar un buró junto a la cama. Una pila de libros sirve como mesa para el teléfono, y un sillón para la lectura.

Espacio en el rincón, *izquierda*, mantiene independiente la oficina. Muchas almohadas hacen que una cama nido sea acogedora y cómoda para los invitados. **Una caja de sombra,** *derecha*, cubierta con ampliaciones de páginas de novelas, sirve como librero y exhibidor único.

2002
2003
2004
2005

Casi tan largo como ancho, el escritorio empotrado está entre las dos ventanas para obtener la máxima luz natural. Construido con una puerta cortada al tamaño y pintada del mismo blanco que la cama, está suspendido entre la cama y la pared, dejando espacio en el piso para guardar debajo archivos o equipaje. Una lámpara giratoria colocada en la pared ahorra espacio y e ilumina, cumpliendo ambas funciones: una lámpara de escritorio sobre el área de trabajo, lo bastante cerca de la cama, para la lectura nocturna.

Un panel de lona con cuatro bolsas, *izquierda*, está fijo a la parte inferior del escritorio, dejando la superficie libre para trabajar y para exhibir, al mismo tiempo que mantiene espacio libre en el piso para guardar archivos o equipaje. **Una colección de máquinas de escribir antiguas,** *arriba*, sirven como ingeniosos portarretratos.

Detalles de diseño

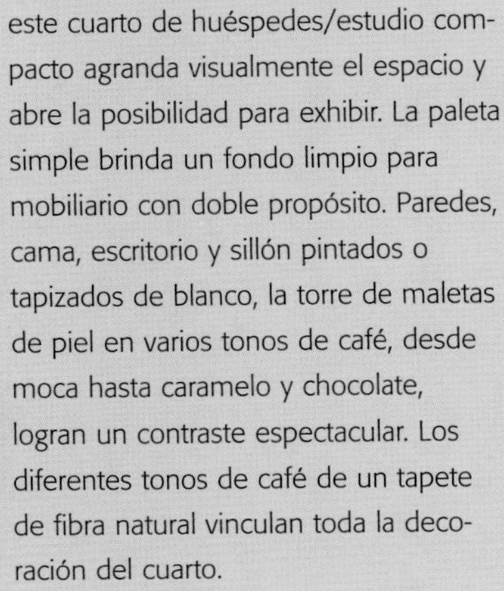

Paleta de colores

Una generosa aplicación de blanco en este cuarto de huéspedes/estudio compacto agranda visualmente el espacio y abre la posibilidad para exhibir. La paleta simple brinda un fondo limpio para mobiliario con doble propósito. Paredes, cama, escritorio y sillón pintados o tapizados de blanco, la torre de maletas de piel en varios tonos de café, desde moca hasta caramelo y chocolate, logran un contraste espectacular. Los diferentes tonos de café de un tapete de fibra natural vinculan toda la decoración del cuarto.

Materiales

Abacá Tejidos con las fibras resistentes de los pedúnculos de una planta de plátano, los tapetes de abacá son una buena elección para una oficina en casa y cuarto de huéspedes, puesto que añaden un patrón sutil y una textura natural bajo los pies para comodidad y calidez.

Yeso pintado Durable y amortiguador del ruido, el yeso pintado es fácil de limpiar y puede repintarse con rapidez para cambiar el aspecto de un cuarto. Las paredes de yeso blancas o de tonos pálidos reflejan la luz y dan a sensación de espacio.

Maletas antiguas Las maletas de lona y de cuero pueden hallarse con facilidad en los mercados de pulgas y son soluciones cuando falta espacio en el piso: apiladas o acomodadas en una torre graduada, tienen doble uso como exhibidor caprichoso de arte y como almacenaje.

FIRED UP: 49ers'
heats up, beats

Una oficina cotidiana

Un escritorio chico junto a las recámaras es un buen sitio para dejar llaves y correspondencia. Es también conveniente para hacer cuentas o hallar cosas con rapidez cuando va a salir.

Al final de un largo día, se necesita un lugar para colgar el saco y dejar la correspondencia... y el cansancio. Aquí, un escritorio pequeño y de tapa corrediza brinda almacenaje para papeles, correo saliente, accesorios y llaves. Los muebles versátiles con superficies para escribir que se sacan o se doblan sirven doblemente como un sitio para manejar las cuentas y los asuntos de la casa.

Una paleta blanca, *pág. opuesta*, mantiene una apariencia ordenada. **Un escritorio según el espacio,** *izquierda*, tiene contenedores con un portaesponjas de baño antiguo para cartas. **Un aro metálico,** *arriba*, sostiene las llaves.

Cómo hallar espacio

Cuando el espacio escasea, piense como constructor de botes. La improvisación y un poco de planeación inteligente pueden producir un escritorio compacto con algo más que un estante y un par de escuadras. Forme un estudio de un clóset al instalar un escritorio pequeño con estantes arriba. Cree un sitio para leer bajo la escalera, con una silla acogedora y un candelabro de pared. El espacio limitado invita a crear diseños inteligentes: muebles pequeños extensibles, luces bajo un estante para ahorrar espacio en el escritorio; emplee una paleta de colores claros para incrementar el espacio percibido; sobre todo, manténgalo simple.

Una mesa de café baja es un escritorio acogedor, *arriba*, si se equipa con lo necesario para una oficina. Archiveros portátiles, laptop compacta, extensiones y una bandeja resistente proporcionan espacio para trabajar.

Un librero poco profundo, *derecha*, ocupa poco espacio en el piso, pero es lo bastante ancho como para guardar todo lo básico de una oficina acogedora al lado de la cama. Su perfil estrecho transforma un pequeño espacio en el sitio perfecto para hacer llamadas matutinas, programar citas o comunicarse con los amigos.

Un compartimento acogedor, *pág. opuesta*, aprovecha el espacio sobrante en una cocina. La superficie de mármol del escritorio integra la zona de trabajo con el resto del cuarto y es lo bastante ancho para colocar una laptop y un libro de cocina (una combinación perfecta para hallar y archivar recetas nuevas. Una silla angosta y cómoda puede colocarse bajo el escritorio cuando no se use.

FOOD&WINE
thanksgiving

2
3
4

color

El color es personal y poderoso. Afecta el estado de ánimo, la productividad e incluso nuestros apetitos. Puede calmar o estimular, animar o vigorizar, e incluso inspirar creatividad. A algunos de nosotros nos gusta mucho color y a otros sólo un poco, pero frente a una gran exhibición de colores, nos mostramos indecisos y deseamos a un consultor de color.

La buena noticia es que para elegir los colores para una oficina en casa hay reglas. Usted manda. Si el rojo lo vigoriza, dese gusto pintando las cuatro paredes de atrevido carmesí o elija un cuarto de trabajo blanco, con una lámpara con pantalla escarlata. Si el azul marino lo inspira para tener éxito, ponga a trabajar para usted el poder de ese color en una oficina en casa.

El color puede usarse para fijar el estado de ánimo en un espacio de trabajo o para anunciar un tema, para proyectar o enfatizar, como cuando un filo verde atrae la mirada a un librero. Puede transformar un mueble de una venta de garaje en uno de una casa de antigüedades o uniformar una colección de piezas desiguales.

El estar consciente de los efectos de los colores puede ayudarlo a tomar buenas elecciones. Use colores claros, en especial el blanco, para realzar un cuarto y minimizar los defectos en el yeso de las paredes, o para destacar molduras hermosas. Los colores brillantes tienden a poner los objetos en primer plano; los tonos más claros permiten retirarse a un segundo plano. Los colores oscuros pueden reducir el tamaño de un cuarto, pero en un espacio pequeño se convierte en joyero al pintarlo con tonos ricos e iluminado con lámparas.

Asimismo, recuerde que la luz afecta el color, por lo que tiene sentido probar un color en un cuarto. Para ver como se ve en realidad un color durante el día, aplique muestras de pintura, si tiene tiempo. Para una vista preliminar, pinte un espacio en una o dos paredes y observe el color a la luz del día y con iluminación eléctrica, para saber si le gusta a cualquier hora del día. Si el espacio es pequeño, siga este truco de diseñador para añadir color sin dominar un cuarto: pinte una pared con un color vibrante y deje las otras paredes blancas o con un color neutral.

Debido a que el color es algo personal, una paleta neutral a tiene mayor sentido para un espacio de trabajo compartido. Sin embargo, es importante seguir el gusto personal al elegir color. No hay color correcto o incorrecto para un espacio de trabajo; sólo color correcto para usted.

El color da a un cuarto de trabajo calor y personalidad. Para un aspecto nuevo que sea propio, nada cambia más la atmósfera de un cuarto que el color.

Street Ward Boss
DESIGN AT ITS BEST

Cómo servirse del color

A veces se sacrifican los colores ricos por los más serios en un espacio de trabajo. Sin embargo, los colores brillantes ofrecen energía y los tenues inspiran. Añada colores soleados a su oficina y no sentirá que está encerrado trabajando en su oficina durante un día encantador.

La teoría del color sostiene que los rojos y los anaranjados evocan energía, aceleran el flujo de la sangre al cerebro y aumentan el metabolismo. El instinto nos dice que nada mejora más el estado de ánimo que un día soleado, lo que nos lleva a preguntarnos por qué todos los espacios de trabajo no están bañados con una capa de pintura amarilla dorada y adornados con toques carmesí para inspiración.

Una abundancia audaz de color puede ser el elemento que define en su cuarto de trabajo, como lo es en esta oficina en casa con mobiliario simple. Un tono de amarillo dorado es un fondo perfecto para una colección escultural de muebles clásicos en tonos madera y con acabados envejecidos. Los marcos de las ventanas, los zoclos y las molduras están pintados de blanco brillante vigorizante para acentuar las paredes coloridas y reforzar los detalles arquitectónicos del cuarto. La paleta de colores mejora la atmósfera acogedora y los acabados suavemente desgastados crean una sensación de informalidad en esta oficina con muchos detalles. Las persianas con tiras complementarias en colores ocre, ladrillo y natural añaden un toque suave al espacio.

El juego de un escritorio color cinc, *izquierda*, contra el amarillo crea una naturaleza espectacular de la configuración de una oficina común. Un tapete kilim con tonos ricos añade una capa de calidez y textura, concordando con los colores vívidos del cuarto y sus toques coloridos. **A una escalera de madera hermosamente desgastada,** *derecha*, se le dio un uso imaginativo como tabla para notas, organizador y estante para periódicos.

El tono de amarillo es lo bastante neutral para dar campo libre a toques pequeños de rojo brillante y de café oscuro sin ser abrumador. Un tono saturado puede resistir patrones atrevidos. La repetición geométrica del tapete kilim tiene eco en la tira de las pantallas romanas y en la colección de contenedores para almacenaje de color rojo, café y verde olivo- Esta rica paleta brinda a la zona de trabajo una disposición soleada y seria.

El color y la textura sirven como acentos primarios en una oficina en casa con amueblado simple y accesorios atrevidos.

Para un espacio pequeño, esta oficina en casa aprovecha todas sus ventajas. El escritorio recto está entre dos ventanas grandes para aprovechar al máximo las brisas cruzadas y la luz natural. Un área de lectura compacta ocupa el espacio restante con un sillón de piel y una mesita simple. Los toques coloridos unifican estos espacios y añaden impacto.

El color poderoso da buen resultado en un cuarto de trabajo y los muebles simples, como un sillón de piel, una mesa elegante y una lámpara colgante de latón, resaltan por la calidez del cuarto y la refinada paleta de color.

A-L
M-Z
13
R.G.DUN
Imperials
BAUZA
GRECOS
2002

El color no necesita cubrir las paredes ni mostrarse en aplicaciones osadas como el mobiliario para causar impacto. Sean viejos, nuevos, comprados o heredados los contenedores para almacenaje en una variedad de colores y materiales son decorativos y prácticos en un cuarto de trabajo. Aquí, un estante graduado crea una exhibición evocativa de formas y colores, con rojos, canelas y cafés moteados mezclados en los estantes. La mezcla inesperada de cajas de puros, cubos de cartón para almacenaje, cajas para dinero y maletas de piel anticuadas añaden carácter a una pared de estantes y mejoran una paleta ya rica.

Mezclada, combinada y apilada, *izquierda*, esta solución ecléctica de almacenaje y unidad de exhibición puede adaptarse con facilidad a casi cualquier cuarto de trabajo o esquema de color. **Una variedad de cajas de piel, madera y metal,** *arriba*, es una gran opción para el almacenaje común de una oficina y contiene una colección que vale la pena exhibir.

Detalles del diseño

Paleta de colores

Una rica paleta de amarillos cálidos, rojos y cafés se extiende desde el piso hasta el techo, proporcionando energía y elegancia a este acogedor estudio en casa. Las paredes doradas brillan con la luz durante el día. Todo alrededor es una interacción de tonos tenues y ricas texturas: tonalidadess escarlata en la silla y en el estante, toques magenta y ámbar en el tapete kilim y tonos quemados ocres y rojizos en la tela de las pantallas romanas y en las tiras de la almohada de algodón.

Materiales

Kilim Creado por tribus nómadas en Afganistán, Irán, Iraq y Turquía, los kilims son tapetes de lana de tejido plano muy durables, que se usaban para cubrir los pisos de arena. Son codiciados por sus paletas de colores cálidos y diseños gráficos hermosos.

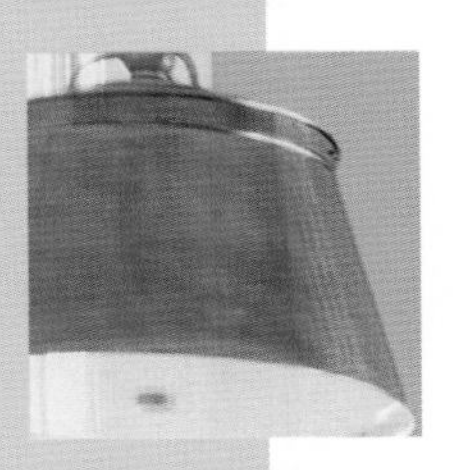

Latón Una aleación de cinc y cobre produce el brillante latón. Sellado con terminado para prevenir la falta de lustre y las huellas, las pantallas de latón son una elección práctica que añade elegancia y brillo a un espacio de trabajo.

Cinc Elemento metálico de sorprendente resistencia y durabilidad, el cinc tiene un brillo inicial similar al del acero inoxidable, pero con el tiempo se forma una pátina azul-gris mate. Apreciado por su terminado desgastado, el cinc se utiliza en artículos que incluyen escritorios, mesas y cubiertas.

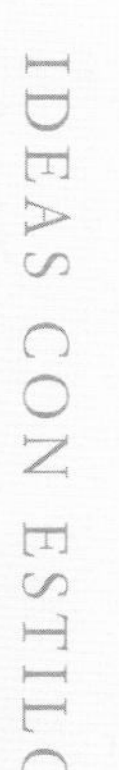

Cómo añadir color

Dar color a un espacio de trabajo es una de las formas más rápidas para alterar su atmósfera. Puede iluminar un cuarto que recibe poco sol con una capa de pintura dorada, dar calor a un cuarto que da hacia el norte con un tono rojo anaranjado o crear un estado de ánimo calmado con una paleta de azules y verdes fríos. El color añade energía a un espacio (como en las asociaciones con rojos atrevidos, amarillos y anaranjados) o refinamiento (los cafés ricos, los grises brezo, el negro lustrado). Ya se trate del elemento que define en el cuarto o de un énfasis recurrente, el color puede inspirarlo y dirigirlo hacia su mejor trabajo.

Los recipientes vacíos de velas votivas llenos con lápices, *arriba*, sugieren frescas brisas del océano con sus tonos marinos y terminados mate. **Esta carpeta de escritorio forrada con tela,** *derecha*, hace posible una transformación rápida. Con un metro de tela y un poco de pegamento, usted puede cambiar los colores de acuerdo con la estación, el estado de ánimo o la decoración de la oficina. A veces, los accesorios más simples pueden proporcionar el toque adecuado de color en un cuarto o inspirarlo para que cambie su paleta actual.

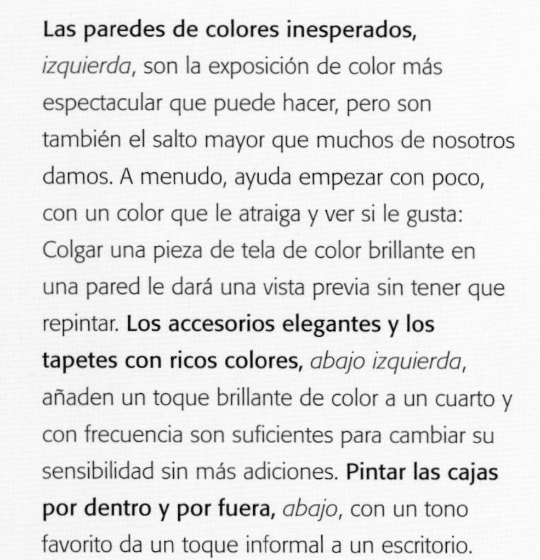

Las paredes de colores inesperados, *izquierda*, son la exposición de color más espectacular que puede hacer, pero son también el salto mayor que muchos de nosotros damos. A menudo, ayuda empezar con poco, con un color que le atraiga y ver si le gusta: Colgar una pieza de tela de color brillante en una pared le dará una vista previa sin tener que repintar. **Los accesorios elegantes y los tapetes con ricos colores,** *abajo izquierda*, añaden un toque brillante de color a un cuarto y con frecuencia son suficientes para cambiar su sensibilidad sin más adiciones. **Pintar las cajas por dentro y por fuera,** *abajo*, con un tono favorito da un toque informal a un escritorio.

parallel 33

textura

PAUL KLEE

Textura es lo que garantiza la naturaleza y lo que nuestros sentidos buscan tanto afuera como adentro. La textura se comprende más fácilmente como la sensación de las cosas: el trozo de lino, la superficie de una mesa de mármol, el grano de un escritorio de caoba, la suavidad de un tapete bajo los pies. La textura al tacto lo que el color a la vista; cada uno trabaja en sinergia con el otro. Los materiales yuxtapuestos dan realce a la textura: una barra de acero en una despensa erosionada; dos sillas para iguales, una tapizada con piel lisa y la otra con seda. La textura es variación, sutileza, el placer de lo inesperado: lo viejo junto a lo nuevo, lo áspero resaltando lo terso. Es el contraste entre un piso de madera pulido y el tapete de kilim colocado encima, entre la base de latón de una lámpara y el lino tejido de su pantalla.

En un cuarto de trabajo, como en cualquier otra habitación, use la textura para estimular los sentidos y mantenga la armonía del espacio. Una paleta blanca podría incluir tonos blancos, por ejemplo, con toques en una variedad de texturas: un tapete de lana con patrón de tablero de ajedrez con tonos blancos, fundas de sarga decolorada, escritorio brillante, librero deslavado.

Puede también resaltar la textura combinando lo inesperado: lana natural y terminado de laca, cortinas de seda y paredes de ladrillo, un carrito de libros de acero y un escritorio antiguo de arce.

Al elegir piezas básicas para oficina, considere utilizar materiales y terminados alternativos para añadir variedad del cuarto. Archiveros de madera o de acero son diferentes de los de metal pintado. La carpeta de lino en lugar de una simple suaviza los bordes del escritorio tradicional. Sólo piense lo que haría para su estado de ánimo una doble capa de laca roja sobre una superficie de trabajo desgastada, cuando enciende las luces una gris mañana de invierno. Los artículos son el pilar de cualquier área de trabajo, por lo que su oficina debe equiparse con una variedad de accesorios con textura, que logran arte de lo cotidiano. Una gama de hermosas texturas hace que resulte un placer mirar y usar las herramientas de trabajo. Los libros apilados pueden sujetarse con una piedra lisa; los archivos pueden colocarse en cestos tejidos que son hermosos y prácticos. Adelante, alinee sus libros con un ancla de hierro oxidada como sujetalibros. Todos los materiales en un cuarto de trabajo están ahí por un buen motivo: son parte de la textura de su vida de trabajo.

La textura actúa de forma sutil para dar vida a un cuarto. Es variedad y sorpresa, el placer de los materiales que se ven bien, se sienten bien y ofrecen bellos contrastes.

POR LA CASA

Un cuarto de trabajo en el jardín

En un cobertizo de jardín, una variedad de texturas calman la mente y los sentidos. Utilice la sutil interacción entre lo hecho por el hombre y lo natural, entre superficies elegantes y desgastadas, entre metal y madera, para resaltar las texturas y enfatizar la belleza de las cosas cotidianas.

Algunos cuartos se llenan de vida sin la asistencia humana: sinergia de sitio y propósito resultante en un espacio que está predestinado. Talento para identificar la belleza natural que necesita poca mejoría es un ingrediente al crear dicho espacio; moderación es otro. Este cobertizo con macetas de libro de cuentos da lecciones de contraste de texturas y belleza que pueden aplicarse a todo espacio de trabajo.

En este marco, donde la organización es lo principal, las variaciones sutiles en la textura brindan interés visual, al tiempo que infunden una sensación general de orden. El contraste de superficies viejas contra las elegantes funciona bien en una gama de colores no cromáticos. Experimente con variaciones sutiles de su color favorito en una variedad de texturas. Combine acabados envejecidos con otros con mucho brillo, telas de punto elástico o con algodones de tejido liso o con la seda lisa. Elija herramientas y accesorios de materiales naturales y póngalos a lo largo de almacenaje de acero barnizado. Sólo imagine cómo un cesto tejido para los artículos del escritorio contrasta con una computadora; un tazón de cerámica es un recipiente encantador para la correspondencia diaria o una tumbona envejecida contrasta con una sombrilla de jardín nueva.

Una brillante tina de aluminio llena de arena, *izquierda*, es un sitio seguro para un conjunto de herramientas de jardín y es una lección de almacenaje creativo. **Una sombrilla y una desgastada silla de jardín,** *derecha*, vuelven una parcela con flores en un invitante cuarto para sentarse en el exterior.

Las posibilidades de textura cobran vida en el refugio de un jardinero. El uso consistente de algunos materiales (acero galvanizado, madera pintada, utensilios blancos esmaltados) crea un marco unificador en el cual reina la variedad. Aplique las lecciones del cobertizo a su espacio. Use cambios sutiles de color para atraer la mirada y cree variaciones sobre un tema para atraer la atención patrones y formas afines. Las formas esféricas se repiten en vidrio y en cerámica y los cestos se unifican por los tonos blancos.

Cubetas y bandejas galvanizadas, *arriba*, son elecciones clásicas para el jardín, y sirven también en casa para lápices o cuentas en un escritorio. **Una paleta de texturas contrastantes,** *derecha*, es más visible en el centro de almacenaje del cobertizo que corre a lo largo de la pared: madera pintada resaltada por partes sin pintar; recipientes de metal barnizados, galvanizados y envejecidos; tarros de vidrio y luminosos cristales de la ventana.

PERENNIAL GARDEN

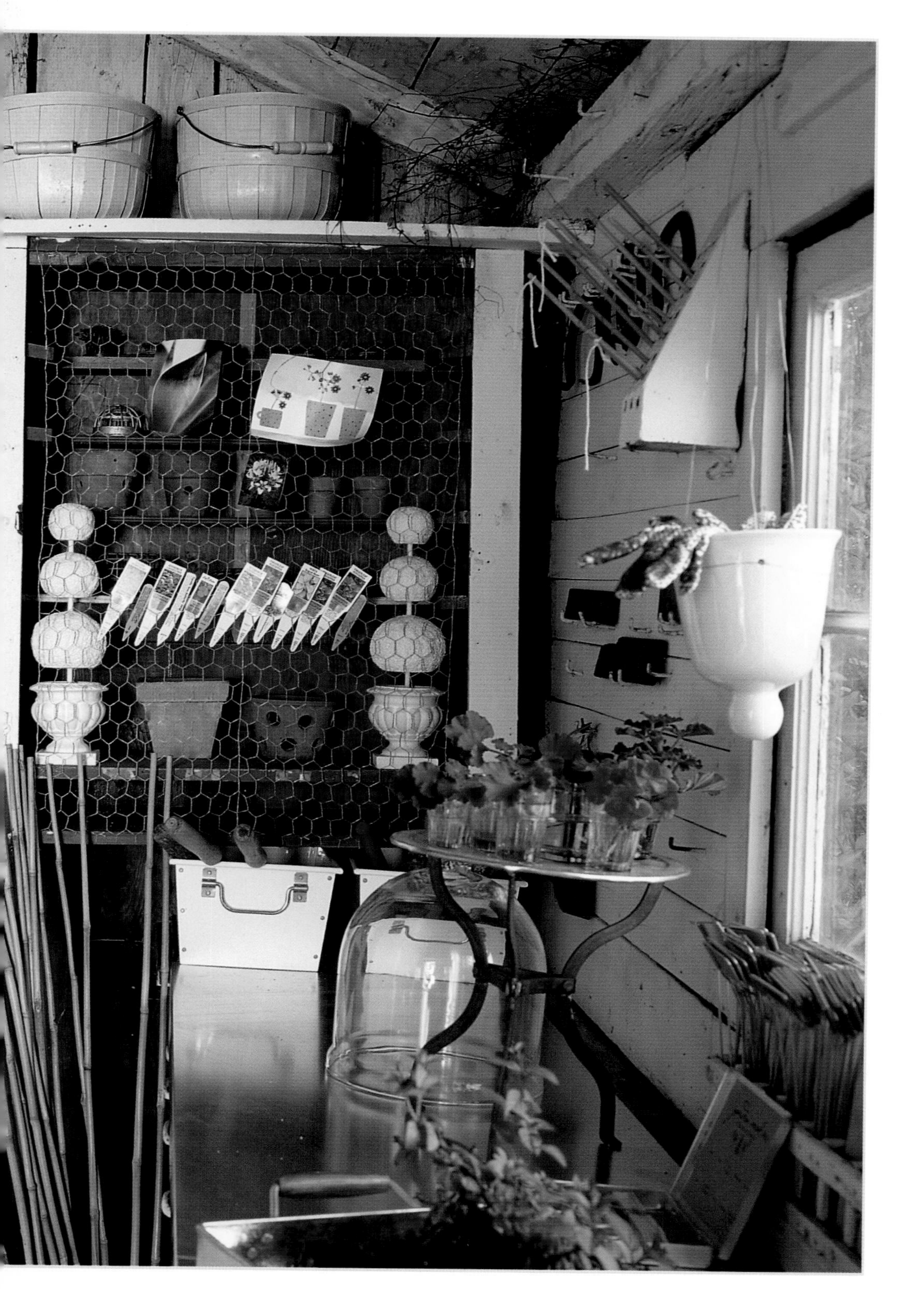

En un espacio de trabajo donde la tierra de las macetas, las plantas y el agua son parte integral del inventario, mantener el orden puede ser un reto. Empezando con una gama de texturas que ayuda a ocultar el deterioro, elija materiales que vayan de acuerdo con el propósito del cuarto. Las superficies inoxidables son durables y de fácil limpieza. Los botes de acero esmaltado protegen las semillas de la humedad.

Para crear un sitio en paz para trabajar, mezcle texturas como un jardinero mezcla texturas.

Los cuartos de trabajo más exitoso son tanto una pasión por el trabajo como la necesidad de terminarlo. Al planear su oficina personal, considere los toques que respiran vida en el espacio y exprese su significado para usted. El colocar las etiquetas de las plantas en el marco de un armario con malla de alambre las mantiene organizadas, al mismo tiempo que le trae recuerdos felices de su primer viaje a Provenza.

Un armario con malla de alambre, *izquierda*, guarda los topiarios de yeso, añadiendo un toque de encanto. **El tablón organizador,** *derecha*, atrae la mirada hacia imágenes de jardín y hacia una colección de candados antiguos.

KIMAX
2000 ml
CORYDALIS
SPRING '02

LETTUCE

El metal galvanizado es una de las superficies más distintivas y prácticas para un área de trabajo. Económico y durable, puede cortarse para cubrir casi cualquier superficie y es una opción de fácil cuidado para la madera y un compañero atractivo para ésta, en cuanto a la textura. Las herramientas con mangos de madera cuelgan a la mano, y los enormes cubos galvanizados bajo el mostrador guardan materiales para el cuidado del césped. El verde del terrario sobre la mesa añade color y textura, elementos que dan calidez e interés a todo espacio de trabajo.

Los botes galvanizados, *izquierda*, pueden usarse en el interior para jardinería y en el exterior para el cuidado del césped o se colocarse en una oficina en casa para hacer las veces de archiveros. **Los suministros para el jardín,** *arriba*, se guardan lejos de la luz del sol.

Detalles de diseño

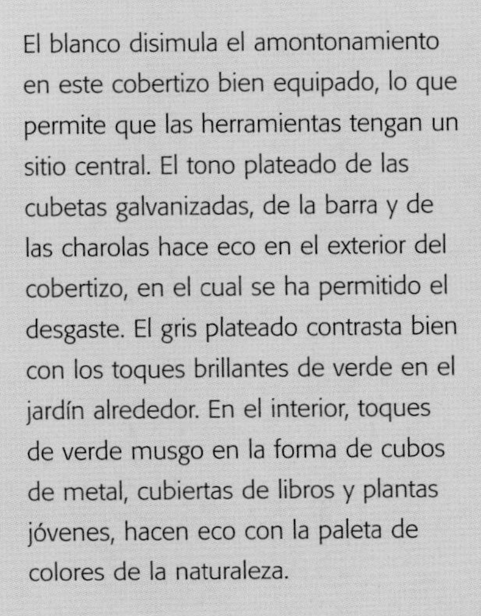

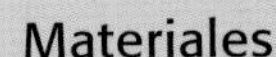

Paleta de colores

El blanco disimula el amontonamiento en este cobertizo bien equipado, lo que permite que las herramientas tengan un sitio central. El tono plateado de las cubetas galvanizadas, de la barra y de las charolas hace eco en el exterior del cobertizo, en el cual se ha permitido el desgaste. El gris plateado contrasta bien con los toques brillantes de verde en el jardín alrededor. En el interior, toques de verde musgo en la forma de cubos de metal, cubiertas de libros y plantas jóvenes, hacen eco con la paleta de colores de la naturaleza.

Materiales

Metal galvanizado El metal galvanizado, inoxidable, es muy valorado por su bajo costo, peso ligero, flexibilidad y buena apariencia. Las hojas cortadas a la medida pueden ser una superficie de trabajo durable e impermeable para cualquier mesa.

Recipientes esmaltados Sellados con una delgada capa de barniz en el recipiente de metal, los recipientes esmaltados vienen en una variedad de colores de granito moteado o de colores sólidos y lustrosos. Son unos de los recipientes más prácticos y agradables.

Terracota Palabra italiana para "tierra cocida". Este barro es la elección preferida de los jardineros, porque su porosidad ayuda a que las plantas retengan la humedad. Las macetas con forma son adecuadas para guardar los artículos de escritorio, así como hierbas y plantas caseras.

Un nido de tazones de madera, *abajo*, es útil en el escritorio para guardar clips, gomas y otros artículos pequeños de oficina. Es un buen recordatorio para dejar en funcionamiento el catálogo de artículos de oficina. **Una medida de arroz de madera, de Asia,** *derecha*, se subdivide con ligas para mantener separados lápices, clips y herramientas de dibujo. **Antiguos finiales de hierro forjado,** *abajo derecha*, hallados en un mercado de pulgas, sirven como elegantes pisapapeles.

Cómo añadir textura natural

No hay manera más fácil para animar una oficina en casa que introducir las formas y las texturas de la naturaleza. En un espacio de trabajo obligado a acomodar los bordes industriales de un escritorio, una computadora, un fax y un teléfono, la belleza simple de los materiales naturales y de objetos desgastados por el tiempo proporciona interés visual y placer estético. Brinda inspiración para tareas creativas y distrae de las tareas cotidianas. La pátina de la madera pulida, la sensación de una piedra de río usada como pisapapeles, los cestos de mimbre, todo añade profundidad, suavizando los bordes hechos por el hombre y desvaneciendo la distinción entre el trabajo y la vida.

Una caja de herramientas de madera de carpintero, *izquierda*, utilizada para guardar los artículos de escritorio, es una belleza por derecho propio y es lo bastante atractiva para usarse en cualquier habitación de la casa (para guardar las tarjetas de recetas y la chequera en la cocina, papel para notas y artículos para escribir cartas en la sala).
Un cesto de junco tejido, con suave textura, *arriba*, añade un toque de artesanía a un cuarto y sirve para guardar periódicos y mantenerlos bien organizados con un separador de cáñamo.

REAL ESTATE
FINANCE
CLIENTS

mobiliario

El mobiliario hace que ocurran las cosas en un cuarto. Crea equilibrio, añade comodidad, define el estilo y facilita el propósito del cuarto. Sea que elija el mobiliario para un cuarto familiar chico o que amueble un estudio de un pintor, piense en los artículos específicos que harán que el cuarto funcione de la forma en que usted desea. Como con todo cuarto de la casa, empiece con las piezas principales. ¿Un escritorio clásico, con cajones, tiene mayor sentido para la forma en que usted trabaja? ¿O necesita una mesa, alrededor de la cual toda la familia pueda reunirse? Tal vez una mesa de comedor con un nuevo uso, con archiveros rodantes debajo, es lo que mejor se adapta a su estilo. Luego vea cómo funcionará su escritorio. ¿Disfruta mirar por una ventana o es probable que permanezca enfocado frente a una pared con un calendario, un tablero y notas? Una estación de trabajo, alrededor de la cual fluya el tráfico, es ideal para algunos espacios de trabajo. Decida si un plano abierto es mejor para usted o si prefiere trabajar al escritorio colocado en un rincón.

La mejor inversión que puede hacer para su espacio es una silla de escritorio resistente y maciza. Opte por la silla de mejor calidad que pueda pagar y asegúrese de que se ajuste a la altura de su escritorio. Una vez que escoja el escritorio y la silla más adecuados, piense en las demás piezas que necesitará: estantes, archiveros, mesa para computadora, sillas para leer. Empate lo práctico con el estilo personal y no se limite al mobiliario de oficina, en especial cuando cree un espacio de trabajo en un cuarto de huéspedes o en una sala. Si va a amueblar un espacio familiar, busque mesas antiguas de biblioteca. Si su trabajo es bosquejar, visite subastas en línea en busca de mesas para dibujo y otro equipo para artistas.

Elija muebles cómodos que satisfagan sus hábitos de trabajo y las necesidades del cuarto. Añada piezas poco comunes que reflejen su estilo. Es lo que hay que saber.

Con la visión de su espacio de trabajo ideal claro en su mente, reconocerá con facilidad el mobiliario que le servirá y que lo deleitará cuando trabajar y alce la mirada, pensativo.

Finalmente, piense en cómo pasa realmente el día. Todos tenemos una rutina especial de trabajo: valore la suya y amueble su espacio de acuerdo con esto. ¿Le gusta dormir una siesta de vez en cuando? ¿Camina por la habitación mientras piensa en algo? Los muebles elegidos con consideración, como un sofá cama que sirve también de asiento a los clientes o un tapete estampado y lujoso, pueden marcar la diferencia al crear un espacio de trabajo que sea solo suyo.

Un espacio de trabajo acogedor

Un arreglo elegante con mobiliario flexible e iluminación versátil puede dar el nivel adecuado de perfección a un espacio de trabajo, al mismo tiempo que lo mantiene cálido y acogedor. Cuando su oficina en casa se usa para atender clientes, ningún detalle es demasiado pequeño.

Una oficina en casa no tiene que ser ostentosa para ser acogedora de la que se sienta orgulloso para mostrarla a sus clientes, pero sí tiene que ser organizada y con estilo. Si en ella recibe clientes, tenga en mente que el mobiliario y los accesorios siempre causan una fuerte primera impresión.

Eso no significa que una oficina en casa deba adaptarse a reglas de tipo corporativo. En casa, es libre de arreglar su espacio de acuerdo con la forma en que trabaje mejor. En la búsqueda de una sensibilidad de negocios confortable, el tamaño importa menos que la función. Arregle su zona de trabajo de tal manera que los materiales de referencia, los archivos, la impresora y el teléfono estén situados cerca. No querrá una oficina que parezca organizada para visitantes, pero que requiera que se aleje de su escritorio cada vez que necesite algo. Un área separada para atender a los clientes, incluso si es un espacio pequeño, suele causar una mejor impresión que las reuniones ante su escritorio.

Al elegir una paleta de colores, escoja tonos que armonicen con su espacio. Esta oficina es un buen ejemplo. Las paredes color hueso y anaranjado pálido crean un fondo fresco para los tonos de madera cálidos y mucha luz natural.

Los taburetes rústicos de madera *izquierda*, sirven para sentarse, o como mesitas. **Una torre triangular de estantes triangulares,** *derecha*, exhibe material escultural y mantiene los materiales de referencia y las muestras a la mano. El mobiliario forma ángulo con la exhibición para una vista cómoda.

THE WOODBOOK
Pioneers in Gardening

Para crear una impresión despejada y un espacio abierto a la creatividad, tenga un mínimo de muebles grandes y elija piezas modulares o algunas que sirvan para más de una función. El mobiliario en la pared o los muebles sostenidos por patas angostas ayudan a hacer que un espacio se sienta más grande y abierto. Si tiene reuniones frecuentes, recurra a un escritorio que se cierre con rapidez para ocultar el trabajo actual si llegan los clientes.

Una oficina en casa que indica creatividad y profesionalismo invita a huéspedes y clientes.

Un espacio de trabajo organizado requiere de un plan de iluminación flexible. Una lámpara globo colgante, conectada a un potenciómetro, crea una variedad de luz ambiental suave en todo el cuarto. Una galería de luces colocada en la pared, arriba del escritorio, da iluminación ajustable sin ocasionar brillo en la pantalla de la computadora. Los postigos en las ventanas ofrecen igual protección.

Una hoja de palma y una rama de papiro, *izquierda*, en un jarrón curvo de cristal, sustituyen con estilo las plantas comunes de oficina. **Un escritorio,** *derecha*, tiene un desnivel naturalista: las piedras marcadas señalan ingresos y egresos. El mobiliario en una paleta de tonos de madera clara produce un efecto armonioso.

Exhibir colecciones y fotos personales expresa su creatividad y hace que su oficina se sienta en verdad como un hogar. Aquí, un tablero frente al escritorio, una pintura sostenida por un marco de clip simple y postales forman un fondo artístico y ordenado en el área de trabajo espaciosa.

Una suite reducida ofrece un área de escritorio para crear mucho trabajo y una sala para presentarlo.

La clave de la versatilidad de esta oficina es la habilidad para mover los muebles entre el espacio de oficina y el área para clientes. Los muebles convertibles se pueden ajustar para configuraciones distintas, ya sea que esté trabajando en un proyecto o atendiendo una reunión con clientes. Sillas seccionales que hacen juego se mueven para formar un sofá y dos caballetes de carpintero apoyan la tabla del escritorio y mesa. En este cuarto, los estantes sirven de exhibidores: con bisagras superiores con tablas entre los travesaños, se pliegan para un fácil almacenaje.

El marco abierto de una mesa de carpintero para aserrar y la estantería triangular define el aspecto de esta oficina limpia y práctica. Nuevos muebles, como una silla Aeron para escritorio y formas clásicas, como la silla de triplay, revelan el estilo del dueño y una atmósfera profesional.

the modern garden
RESIDENTIAL LANDSCAPE ARCHITECTURE
Beautiful American Vegetable Gardens
NATURAL STONESCAPES

DISPOSITION DES FEUILLES
FEUILLES ALTERNES
FEUILLES OPPOSÉES
FEUILLES VERTICILLÉES
poirier
giroflée
lilas
œillet
laurier-rose
FEUILLES CADUQUES
FEUILLES PERSISTANTES
PLANTES SANS FLEURS
FOUGÈRE MÂLE
FEUILLE DE POLYPODE
(vue de dessous)
spores
MOUSSES
soie
sporogones
feuilles
rhizome
ALGUES
FOUGÈRE ARBORESCENTE
CHAMPIGNONS DE COUCHE
anneau
chapeaux
lames sporifères
flotteurs
crampons
pieds
EDITIONS ROSSIGNOL
N° 11
FOLIAGE

Detalles de diseño

Los techos y las ventanas altos acentúan la luz natural del cuarto.

Los postigos ajustan la cantidad de luz en cada cuarto, según se necesite.

Los pisos de madera natural son un complemento perfecto de las paredes amarillo cítrico.

Un par de puertas crea privacidad entre los espacios de trabajo público y privado.

El área de los clientes ofrece asientos versátiles y caballetes con estilo para las presentaciones.

Paleta de colores

Al no poder crear un sitio soleado en el exterior de su oficina, es difícil imaginar un mejor entorno para un cuarto de trabajo de un amante del jardín que este sereno espacio interior. La mezcla de paredes de color amarillo cítrico, con el verde oscuro de las hojas de palma evoca simultáneamente un paraíso tropical y un sentido de gran estilo. Los pisos de madera color miel y el mobiliario en tonos suaves de café claro mejoran la apariencia natural.

Plano del cuarto

Cuartos adyacentes, separados por un pasillo abierto, hacen una suite de oficina en casa tan cómoda para trabajar como para recibir clientes. A la izquierda, hay un área de trabajo con poco desorden y mucha luz natural para trabajar. A la derecha, el cuarto amueblado con estilo, donde se recibe a los clientes, ofrece espacio para exhibir diseños y expresar ideas, mientras muestra la sensibilidad de diseño de un arquitecto de paisajes. Un esquema de color compartido y entradas abiertas conectan los dos cuartos y hacen que la suite parezca más espaciosa.

Materiales

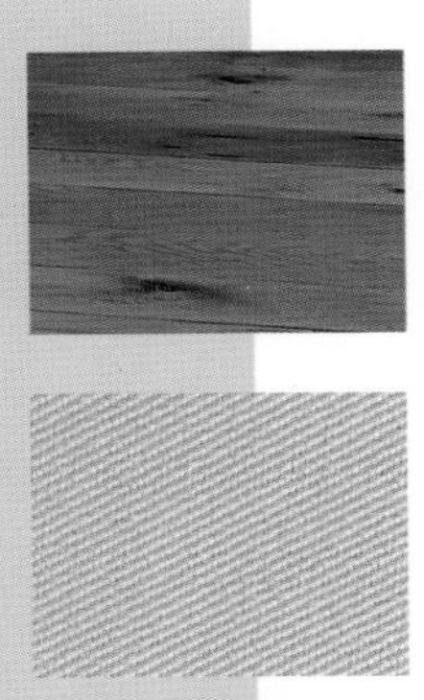

Roble Madera dura, el roble se usa en la construcción de casas y muebles. Las duelas, cepilladas de nuevo, se obtuvieron de viejas vigas.

Sarga Tela de tejido diagonal y apretado, es una opción versátil y durable para fundas.

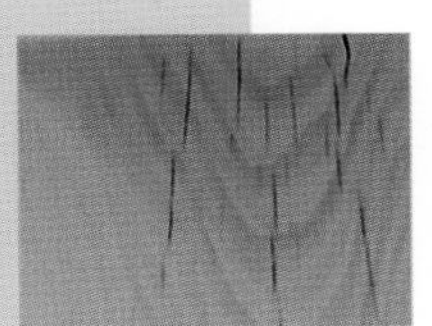

Pino Madera blanda y común para estantes, el pino se presenta en varios grados. Cuanto más nudoso, más rústico. El pino puede teñirse o pulirse con facilidad y dejarse inacabado.

Oficina en una esquina

Un sentido de equilibrio da a una oficina en casa sensación de espacio y orden. La pintura blanca y detalles modernos abren el espacio, y los escritorios con ruedas ofrecen flexibilidad.

Los muebles compactos y una paleta blanca pueden hacer maravillas en un espacio reducido. El clima abierto de esta oficina en casa debe mucho a sus muebles, elegidos por su flexibilidad y perfiles bajos. Escritorios elegantes con patas delgadas y ruedas ahorran espacio en un cuarto compacto. Una paleta simple de blanco y negro ayuda a reducir el amontonamiento visual y los materiales reflejantes mejoran la ligereza del espacio. Los muebles están acomodados para aprovechar al máximo la luz natural

Una silla transparente de Plexiglás, *izquierda*, desaparece, lo que da la sensación de apertura. **Los botes etiquetados,** *arriba*, revelan su contenido. **Los imanes coloridos**, *derecha*, sostienen recordatorios sobre muebles de metal.

A
B
C
D
AG
HM
NR
BERLIN

GREAT ESCAPES
JUDITH MILLER
THE GARDENS OF FLORENCE
ALBRIZZI/POOL
Paris Interiors
North Carolina Architecture
The Middle Ages
PEREIRE AND VAN ZUYLEN
O California!
Irving Penn
PASSAGE
MAGRITTE

Calma en un estudio en la recámara

Una oficina que comparte el espacio con una recámara debe ser inspiradora y relajante. En este cuarto lleno de luz, se arregló un área de trabajo despejada junto a la ventana panorámica. La consistencia en el estilo crea un efecto calmante y visualmente integrado.

Cuando la necesidad obliga a instalar una oficina en una recámara de la casa, entran en juego consideraciones especiales. Es útil crear una distinción entre el área de dormir y el área de trabajo. Ambas deben estar bien definidas y ser visualmente armoniosas, vinculadas por una paleta y estilos relacionados. Este es el sitio para poner en primer lugar la comodidad y la preferencia al elegir los muebles. Elija una bonita mesa de comedor o de dibujo, en lugar de usar un escritorio tradicional. Una mesa, elegante y decorativa, proporciona suficiente superficie de trabajo, mientras conserva la intimidad de una recámara.

El almacenaje bien organizado deja espacio para artículos personales cuidadosamente seleccionados y para accesorios aerodinámicos para oficina. Los archivos y otros papeles deben ocultarse en cajones o en gabinetes, para mantener una atmósfera pacífica. Elija lámparas y accesorios para escritorio con texturas de calidad y líneas limpias para facilitar la transición del relajamiento al trabajo. Los muebles elegantes, como una silla clásica tapizada y un escritorio y un banco pulidos, dentro de una paleta rica de color, definen un área que resulta calmante a la mirada y gratifica al usarla para trabajar.

Un banco de madera, *izquierda*, sirve como estante bajo, accesible para las áreas de dormir y de trabajar. **Toques sutiles de color,** *derecha*, de cajas de resina en ámbar y amarillo, energizan el área de trabajo en un cuarto, decorado con una paleta neutral de café, sepia y blanco.

GREAT ESCAPES
THE GARDENS OF FLORENCE
Paris Interiors
North Carolina Architecture

Una paleta natural rica en textura de blanco puro y café oscuro vincula las dos áreas principales, manteniendo ambas zonas del cuarto en armonía visual. Capas de seda, terciopelo, piel y mohair en la cama y un tapete de área de varios tonos del mismo color define un espacio lujoso para dormir. Los pisos de madera pulidos, un escritorio con tapa deslizable exhibe una colección de libros y proporciona una línea de demarcación necesaria entre los espacios para dormir y para trabajar.

Un tapete con patrón sutil, *izquierda*, suaviza el ambiente y ayuda a definir las zonas para dormir y para trabajar. **Hojas de papel italiano para escribir,** *arriba*, sirven como cubiertas elegantes para las pilas de libros. Las muchas repeticiones del cuarto (libros, papel para escribir, piedras y jarrones) junto con las líneas horizontales crean una atmósfera ordenada y tranquila.

PEREIRE AND VAN ZUYLEN
O California!
Irving Penn
PASSAGE
MAGRITTE

Un enfoque minimalista a los accesorios de escritorio conserva la paz mental en la oficina en una recámara. En este espacio, donde líneas horizontales se repiten y subrayan, el amontonamiento se mantiene en un mínimo con la ayuda de la tecnología: una laptop elegante (con un quemador de CD para almacenar información en un disco, en lugar de usar papel) deja libre mucha superficie. Cree un escritorio personalizado con accesorios de oficina no tradicionales, como un camino de mesa de pana, en lugar de un secante de escritorio, una lámpara de cristal transparente. El efecto es un lugar de trabajo con suficiente estilo para servir también como tocador.

Los vasos de cristal opalino, *izquierda*, exhiben delicados lirios Casablanca para suavizar la apariencia del escritorio. **Un cesto de metal oval y poco profundo,** *arriba*, actúa como recipiente y como adorno con textura.

Detalles de diseño

Paleta de colores

En un cuarto con tonos apagados y alineados, un toque de color, aunque sea pequeño, brinda un efecto brillante. Un decorado sereno y escalonado, de muebles y telas cafés, con accesorios de marfil claro, se coloca contra un fondo de paredes y ventanas blancas. Los tonos oscuros ayudan a definir las áreas para dormir y para trabajar. Un par de recipientes de resina hechos a mano, con vívidos tonos ambarinos, atraen la mirada hacia un punto de color en el escritorio, donde reflejan la luz del día que entra por las ventanas.

Materiales

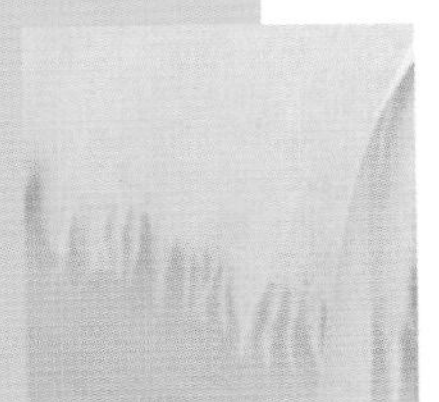

Mohair Tejido del pelo largo y ondulado de las cabras Angora, con algodón o seda a menudo mezcladas, el mohair es uno de los materiales más suaves y lujosos para colocarlo cerca de la piel.

Terciopelo Tejido de seda, algodón o lana, el terciopelo tiene un pelo elevado, que consiste en hileras de lazos cortados para crear una textura de peluche. Delicado y sorprendentemente durable, el terciopelo es una de las indulgencias más prácticas en el mundo. Poco común y lujoso en una oficina, el terciopelo proporciona calidez regia a cualquier habitación.

Madera El piso de madera natural ayuda a absorber el ruido y conserva el calor del sol, lo que lo hace una elección sabia para una recámara o un estudio soleado. Su color rico y su veta interesante calientan también visualmente el cuarto.

Diseños clásicos de escritorios

El montaje tradicional de un escritorio quizá no parezca negociable, pero con el mobiliario de oficina modular se satisfacen con facilidad las preferencias personales. A algunos les gusta tener los cajones de su escritorio en el lado derecho y otros los prefieren a la izquierda. Un montaje simétrico podría ser lo mejor para un escritorio que se comparte o un acomodo en forma de L es mejor para varias tareas. Cualesquiera que sean sus necesidades de trabajo específicas, hay un arreglo que reúne todo y que hace que valga la pena una tarde de prueba para descubrir el que mejor le acomode.

El acomodo popular en forma de L del escritorio, *página opuesta*, se convierte en una acogedora U con la adición de un estante para colocar los archivos y los artículos. Tan aerodinámica como una cocina, la U pone todo al alcance. Si tiende a establecerse ahí durante el día, es un arreglo perfecto.

El acomodo de escritorio "flotante", *arriba*, deja mucho espacio para moverse y es quizá la mejor opción, si le gusta separarse de su escritorio y mirar el techo o dar caminatas frecuentes alrededor del cuarto. Proporciona también una menor sensación de oficina, lo que lo hace una buena elección para la oficina en una sala o en una recámara.

La configuración espalda con espada, *derecha*, proporciona tranquilidad a personas con múltiples tareas, pues permite ir de un escritorio al otro cuando se necesite. Es una configuración útil para una oficina compartida, ya que ofrece una estación separada para cada trabajador y ocupa un espacio mínimo.

Cómo reinventar un escritorio

Hay pocos muebles más simples y sin complicaciones que un escritorio de oficina, mas dedique un momento para explorar las posibilidades decorativas y los resultados pueden sorprenderlo. Para una superficie tan personal, prescinda de la idea de un escritorio común. No es necesario elegir accesorios de estilo corporativo y no hay motivo para sentarse ante un escritorio gris, cuando lo que lo hace feliz es trabajar ante una mesa cubierta con su mantel favorito. Es su espacio, por lo que debe sentirse en libertad para crear un escritorio con una charola para el desayuno o un banco con escalones para escribir cartas.

Una hoja de cristal o de acrílico transparente, *arriba*, convierte cualquier superficie de trabajo en una galería de fotografías protegida o en un tablero que inspira. El forrar parte del escritorio con papel pálido o al dejar parte de la superficie libre le da espacio para notas que se borran en seco o para anotar números o citas. Con este arreglo, el escritorio se convierte en superficie de trabajo todo en uno, carpeta, pizarra de notas y centro de mensajes. **Un escritorio simple de madera con un cristal templado,** *derecha*, le permite guardar dibujos importantes, listas telefónicas o copias de planos protegidos y visibles bajo una superficie de fácil limpieza.

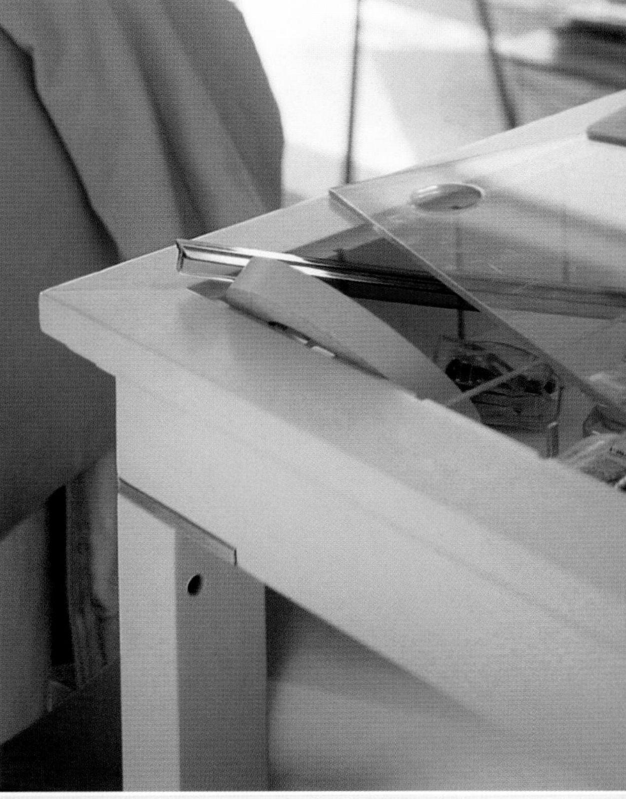

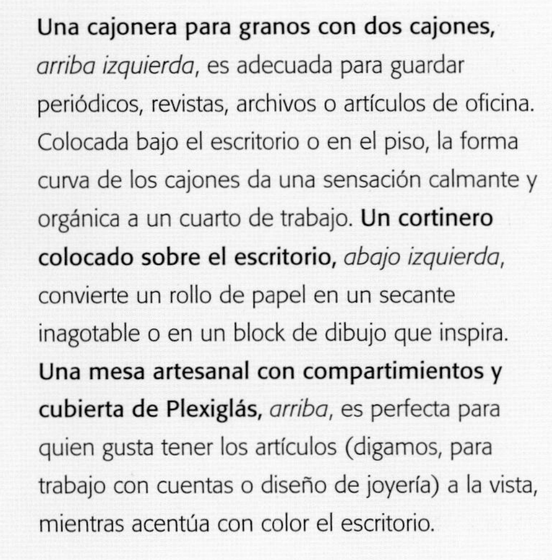

Una cajonera para granos con dos cajones, *arriba izquierda*, es adecuada para guardar periódicos, revistas, archivos o artículos de oficina. Colocada bajo el escritorio o en el piso, la forma curva de los cajones da una sensación calmante y orgánica a un cuarto de trabajo. **Un cortinero colocado sobre el escritorio,** *abajo izquierda*, convierte un rollo de papel en un secante inagotable o en un block de dibujo que inspira. **Una mesa artesanal con compartimientos y cubierta de Plexiglás,** *arriba*, es perfecta para quien gusta tener los artículos (digamos, para trabajo con cuentas o diseño de joyería) a la vista, mientras acentúa con color el escritorio.

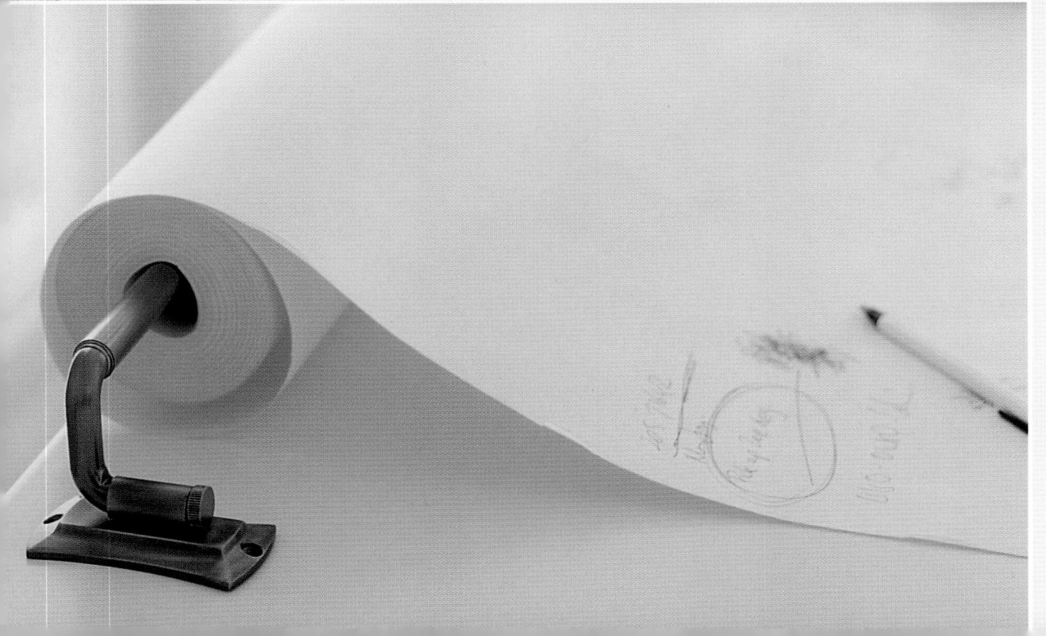

The Adventures
The Memoirs

iluminar
His Last Bow
The Case-Book

La iluminación es esencial en el diseño de todo espacio. Un plano de iluminación exitoso no sólo elimina la oscuridad, sino que crea también un estado de ánimo, define el espacio general y acentúa las zonas dentro de él. Para una oficina, la iluminación tiene un papel importante, pues ilumina las áreas de trabajo para una claridad óptima, y evita la fatiga ocular. Muchos de nosotros tenemos poco control sobre la iluminación con que trabajamos. Sin embargo, se ha demostrado que la forma en que un cuarto está iluminado afecta la salud y la productividad, empezando con la calidad de la iluminación ambiental (o atmosférica general). Ya sea que su espacio de trabajo se use durante las horas de luz del día o por las noches, asegúrese de que la luz sea lo bastante brillante para iluminar todas las áreas. Si su oficina es grande, instale un regulador de intensidad de luz para hacerla más flexible. Esto permitirá disminuir la intensidad en las áreas menos usadas y reducirá el gasto de luz.

En un cuarto con techo alto, cuelgue una hilera de luces lo suficientemente bajas para iluminar donde más se necesita y para crear una atmósfera más íntima. Cuando una oficina en casa comparte espacio en un cuarto, como una recámara o una sala, algo tan simple como un par de candelabros de pared o lámparas colgantes a cada lado del escritorio ayuda a designar el área como una zona de trabajo. Un plano para la iluminación general, uno que ilumine cada estación, puede hacer que la subdivisión de un espacio parezca más elegante y menos una idea de último momento.

La iluminación de espacios de trabajo es lo que el nombre describe y más. Es enfocada, flexible y en general más brillante que la ambiental. Las luces puntuales pueden ser mediante lámparas de escritorio tradicionales, rieles de iluminación, focos empotrados, lámparas de halógeno o una combinación de estos. Las luces puntuales son en general la parte más versátil de la iluminación de un cuarto de trabajo. Necesaria y decorativa, la iluminación puntual puede moverse con facilidad según el trabajo que se realiza, mientras que su estilo y su efecto en la sensación de un espacio pueden alterarse con rapidez y con un cambio de pantalla o de vataje. Las lámparas de escritorio son a menudo las opciones más adaptables, pues pueden satisfacer una variedad de tareas.

Como la luz de las velas en un comedor, las luces que elija para escribir o bosquejar añadirán calidez y carácter a un espacio de trabajo.

La luz, natural y artificial, es lo que da vida a un espacio de trabajo. Combine la iluminación de trabajo y ambiental para dar flexibilidad y añadir calidez.

La luz adecuada, de día o de noche

En una oficina en casa grande y soleada, un plano de iluminación flexible aprovecha al máximo la luz del sol y ayuda a disminuir el resplandor. Tratamientos ajustables a las ventanas, combinados con una iluminación puntual y lámparas decorativas iluminan cuando y donde la necesite.

¿Quién no aprecia un cuarto de trabajo con luz natural y vista al exterior? Sin embargo, incluso la oficina más soleada presenta retos a la iluminación. ¿Cómo controlar el resplandor durante el día e iluminar el espacio por la noche? La solución tiene tres partes: iluminación puntual y decorativa versátil, tratamientos ajustables a las ventanas para atenuar la luz del sol y una paleta blanca que aproveche al máximo la luz abrillante del sol y la iluminación suave.

Los tratamientos de las ventanas son en muy importantes si su escritorio está frente a una ventana. La persiana blanca de lona proporcionan el filtro de luz adecuado. Fácilmente ajustable a la luz del sol según la hora del día, reduce con éxito el resplandor, admite suficiente luz ambiental y ofrece una vista al exterior. Las cortinas transparentes, en color pálido, son otra forma práctica para difuminar la luz del sol, mientras mantienen una atmósfera brillante y aireada.

Una variedad de tipos de iluminación da paso a una transición fácil de la iluminación del día a la noche. Las lámparas ajustables versátiles, con focos de halógeno y pantallas de tela, ofrecen luz blanca y clara para trabajar, mientras que las lámparas tipo galería colocadas con discreción dan un brillo suave incandescente en el cuarto.

Las persianas enrollables, *izquierda*, se ajustan para filtrar el juego de luz constante durante el día. **Las lámparas de escritorio de halógeno,** *derecha*, y las lámparas chicas colocadas entre los libros en los estantes ofrecen una variedad de opciones de iluminación cuando llega la noche.

HOUSE BOOK
contemporary
SEE-THROUGH HOUSES
New York Interiors
FAY JONES
FARM
HOUSE BOOK
hamptons
GREAT ESCAPES
HOUSES OF LOS CABOS

Con luz natural que ilumina desde tres lados, una oficina brillante se beneficia con muebles blancos aerodinámicos y accesorios en tonos azul claro. Un esquema de colores unifica un espacio de trabajo que sirve para muchos propósitos. Una vez que haya elegido una paleta neutral, cree zonas que eviten que las pilas de trabajo interfieran con el tiempo libre. Una paleta que refleje la luz conecta las diferentes zonas y subraya la amplitud del cuarto.

Una lámpara ajustable con pantalla de papel vitela, *arriba*, puede servir como lámpara de escritorio o de lectura. **Un sofá con respaldo alto,** *derecha*, ofrece amplio espacio de descanso para la familia y los visitantes y define el espacio de la oficina. Suficiente espacio para guardar (en estantes y cajones en el marco del sofá) despeja la zona de los artículos de oficina.

HOUSE BOOK
FARM
HOUSES
New York Interiors
FAY JONES
HOUSE BOOK
GREAT ESCAPES

Por la noche, los suaves focos de luz redefinen en forma espectacular los contornos de este cuarto, destacando varias zonas para trabajo o relajación. Una variedad de iluminación (directa e indirecta, halógena e incandescente) funciona en conjunto para resaltar los detalles arquitectónicos, crear ambiente y proporcionar luz clara y enfocada para leer o trabajar. Un sistema de interruptores y reguladores simplifica el control de las diferentes luces desde la entrada.

Cae la noche y la oficina en casa se transforma con la iluminación.

Una galería de luces simples, pero con estilo, está dirigidas en dos direcciones: arriba, para bañar las paredes con luz pálidz, y abajo, como iluminación decorativa, para el material artístico. Las lámparas de escritorio articuladas tras el sofá y cerca de la computadora se ajustan con facilidad, lo que las convierte en una elección versátil. La iluminación oculta bajo los estantes ofrece a los lados del escritorio una luz clara para trabajar, dejando libre la superficie como área de trabajo.

Las luces de galería dirigidas al techo *izquierda*, acentúan la altura del cuarto y destacan el área de trabajo. **Al dirigirlas abajo,** *derecha*, la luz de halógeno ilumina el material gráfico y las paredes blancas con brillo cálido.

KITCHENS
BEDROOMS &
BATHROOMS
EAT DRINK COOK
WINE COUNTRY
LIVING
CÔTE SUD

TROPICAL HOUSES
Seaside
Caribbean Elegance
POOLS
THAI STYLE
INDONESIA
EDWIN LUTYENS
ROBERT A. M. STERN HOUSES
bathrooms
living rooms
bedrooms
one space living
SMALL HOMES
DIY
METROPOLITAN HOME AMERICAN STYLE
home
TIMBERFRAME Interiors
DETAILING LIGHT
GLASS
Country
THE AMERICAN BARN
STONEWORK

Detalles de diseño

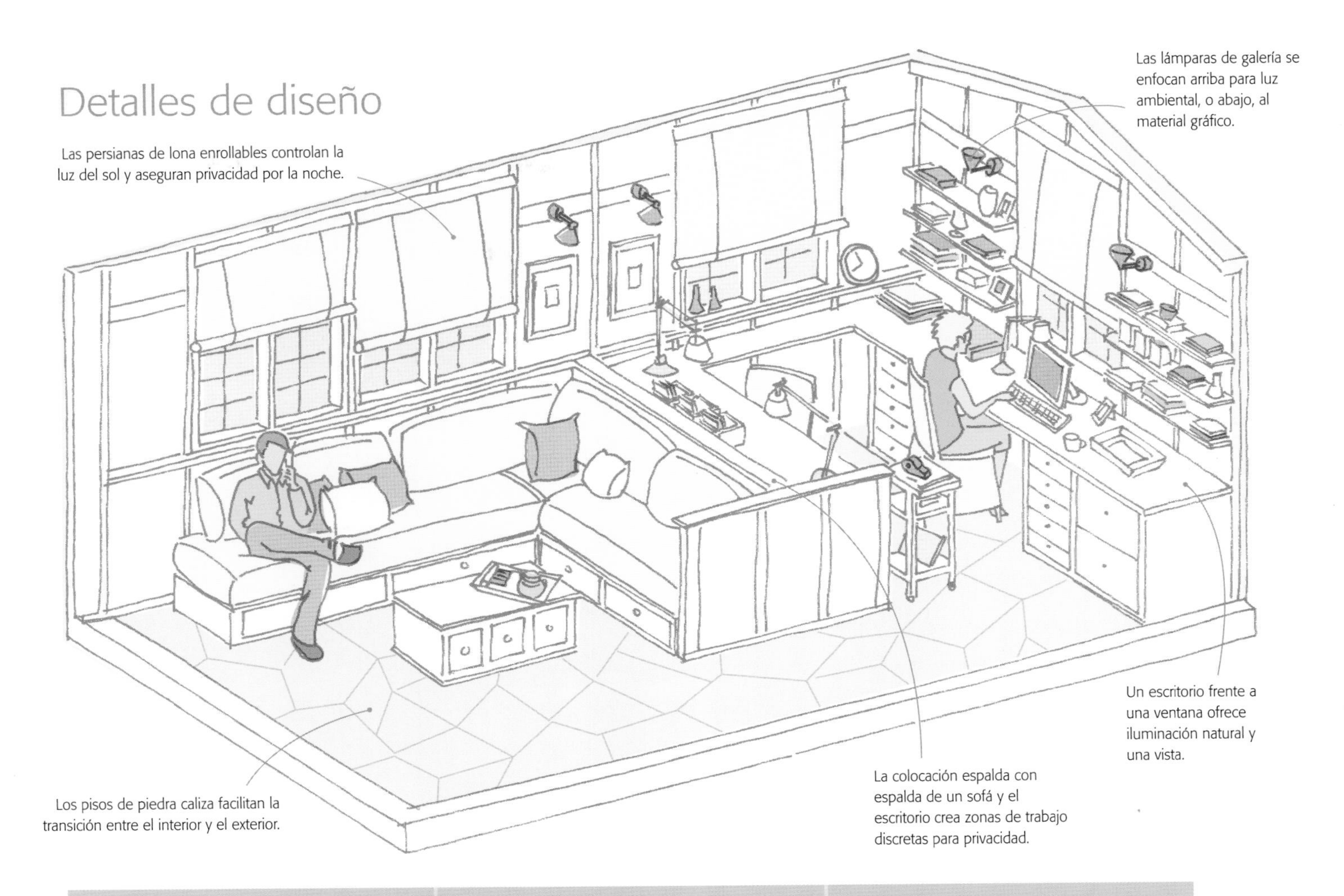

Paleta de colores

Una paleta de azul y blanco, con toques de azul verdoso, concuerda con el marco de esta soleada oficina junto a la alberca; puede hacer que cualquier cuarto de trabajo se sienta más cerca del agua. El tratamiento blanco de muros, ventanas y mobiliario es un contraste perfecto para los toques de azul verdoso, que salpican el cuarto, desde el conjunto de embudos en el alfeizar de la ventana, hasta las cajas colocadas bajo un estante

Plano del cuarto

Las zonas de trabajo y de descanso espalda con espalda aprovechan este espacio compartido, brindando una sensación de privacidad y un enfoque central definido. El área dedicada al trabajo está puesta a lo largo de una pared con ventana, con los artículos y los archivos colocados a la mano en estantes arriba del escritorio o sobre una mesa detrás de este. Un sofá alineado con la mesa de trabajo (esta estructura puede duplicarse con facilidad con un sofá común de respaldo alto y una mesa independiente) define la zona de relajación y sirve como un divisor.

Materiales

Lona de algodón Una tela resistente que conserva su forma, la lona de algodón se suaviza con varias lavadas y puede adornarse con accesorios o mantenerse casual.

Cutí Tela de tejido apretado, el cutí de algodón viene en una variedad de patrones rayados. Úselo para almohadas, fundas o persianas.

Piedra caliza Una de las piedras más suaves, la caliza se obtiene de lechos de mar y lagos evaporados y se conserva hermosa.

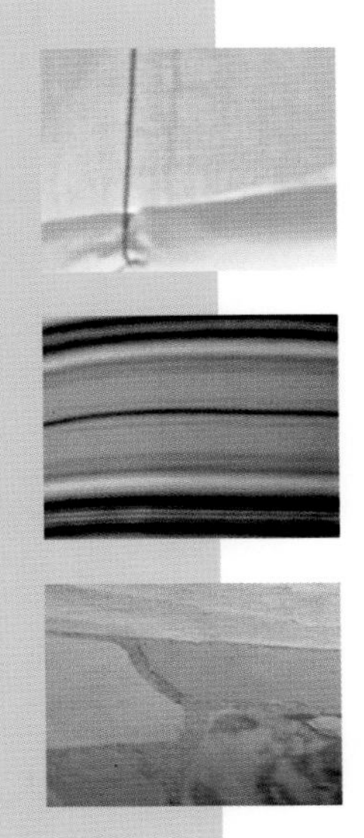

El turno nocturno

Arregle una cómoda oficina en un rincón para la noche o para los fines de semana. Ajuste la luz para dar opciones a los trabajadores, desde una iluminación puntual hasta una luz acogedora.

Transforme un escritorio en un rincón en una invitante oficina con un plano de iluminación flexible para acomodar todas las tareas. Esta oficina combina tres tipos básicos de luz para un efecto íntimo y en niveles: luz puntual en el escritorio, ambiental en la mesa lateral y decorativa única sobre el estante alto. Los reguladores de intensidad ajustan la brillantez para leer o para trabajar en la computadora

Una torneada lámpara de mesa, *izquierda*, define el rincón con un brillo suave. **Una lámpara de escritorio ajustable,** *arriba*, es ideal para la lectura. **Una luz decorativa en un estante superior,** *derecha*, desvanece las sombras.

FLORAL HOUSE
flea market decorating
Western Garden Book
backroads
Training You to Train Your Dog
THE QUEEN OF THE DAMNED

Halle su estilo Guía para elegir y usar la mejor iluminación

Ambiental

La iluminación ambiental es la principal en un cuarto, la luz de fondo que da una atmósfera de bienvenida y de calidez. La luz ambiental con frecuencia tiene múltiples fuentes, que pueden incluir la luz natural del sol, lámparas en el techo, de piso y rieles de iluminación. Una mezcla de persianas e iluminación artificial le permite ajustar la cantidad de luz. Para una luz cálida y favorecedora, use focos incandescentes en accesorios traslúcidos. Evite los fluorescentes en accesorios elevados e instale controles de intensidad para ajustar la luz durante el día.

Lámpara de globo colgante

Puntual

La iluminación puntual es enfocada. Tiene como objeto iluminar un área específica: su escritorio o la silla en que se sienta a leer. En un cuarto grande, quizá necesite varias luces puntuales. Pueden ser grandes o pequeñas, fijas o no, pero todas deben tener pantallas que dirijan la luz hacia las áreas que necesitan luz. Como regla, la luz incandescente se proyecta más suave, la halógena es más brillante y más enfocada. Las pantallas metálicas son mejores para dirigir la luz, pero también generan calor, por lo que debe tener cuidado en dónde las coloca.

Lámpara de escritorio articulada

Decorativa

La luz decorativa es la nota atractiva. Es opcional en el sentido de que no es necesaria para el propósito del cuarto; sin embargo, es esencial porque añade con sutileza una medida de belleza y toque ornamental a la decoración. Las luces decorativas atraen la atención a pinturas y objetos que acentúan los detalles arquitectónicos. Solas, pueden iluminar un rincón oscuro y hacer que un cuarto parezca más grande y más acogedor. En una oficina, las luces decorativas ayudan a demarcar diferentes zonas de trabajo o de actividad sin ser demasiado obvias.

Lámpara enrejada

ambiental, puntual y decorativa para su espacio de trabajo

Lámparas colgantes

Focos empotrados

Riel de iluminación

Las lámparas de globo colgantes proyectan un brillo difuso y son una fuente efectiva de iluminación ambiental.

Las lámparas colgantes proyectan rayos anchos de luz y ayudan a iluminar rincones.

Los focos empotrados son discretos, y da mucha luz difusa.

Los rieles de iluminación pueden ajustarse para rebotar luz en un techo o pared o para proporcionarla directamente.

Lámpara de pie ajustable

Lámpara para estante

Aplique

La lámpara articulada, con brazos ajustables, dirige la luz a donde se necesita.

Las lámparas de pie ajustables son versátiles. Si no se usan para leer, pueden añadir una bienvenida luz ambiental.

Las lámparas para estantes ahorran espacio e iluminan una estación de trabajo.

Los apliques son una solución práctica cuando escasea el espacio en el escritorio.

Lámpara de mesa

Lámpara orientable de pared

Lámpara de tacto

Las lámparas enrejadas son prácticas y eficientes para zonas de lavado y áreas de trabajo.

Las lámparas de mesa están disponibles en varios estilos y añaden luz a un escritorio.

Las lámparas orientables de pared proyectan una luz directa y suave a fotos, pinturas, pizarras o colecciones.

Las lámparas de tacto se activan por el tacto, lo que las hace ideales para clósets.

8
3
5
38-PAGE
2

organizar

pure. COLORS

Organizarse no sólo brinda un espacio de trabajo más limpio y ordenado, sino que es nuestra mejor recompensa. Un cuarto de trabajo bien organizado significa menos archivos perdidos y menos herramientas fuera de lugar y contribuye a la armonía de nuestra vidas.

Saber organizar un cuarto de trabajo es una de las pocas habilidades útiles, que puede transmitir a sus hijos: dos cajas de zapatos y un marcador son el material para empezar. El primer paso para poner orden en un cuarto es en cierta forma el más fácil, pero suele ser el más evitado: reducir. Mientras más pronto se deshaga de lo que ya no necesita, más pronto empezará a organizar lo que desea conservar. No sólo sentirá que viaja más ligero, sino que tendrá un trabajo mucho más pequeño para terminar. Enfoque un rincón a la vez, líbrese de archivos antiguos, innecesarios discos de computadora, artículos que nunca leerá o ya obsoletos, herramientas oxidadas. Haga una limpieza de sus libreros y revisteros y empaque lo que sobre para entregarlo en su biblioteca o en la escuela más cercana.

Observe lo que queda y divídalo por categorías que tengan sentido. Este enfoque es igualmente bueno para artículos diferentes: divida por año los registros de impuestos; las herramientas de jardín por mangos largos y cortos; los materiales de arte y artesanías por dibujos papel y pinturas y las fotografías familiares en viajes, graduaciones, bodas y nacimientos. Haga de este proceso de subdividir por categorías su punto de partida y nunca se sentirá abrumado cuando esté frente a una pila de material en busca de un sistema.

El siguiente paso es guardar lo que conservó y organizarlo teniendo en cuenta el acceso. Las cosas que usa todos los días pertenecen adonde pueda alcanzarlas con facilidad (a nivel de la vista en un estante abierto, en los cajones del escritorio o en un archivero). Los artículos que usa menos puede guardarlos en estantes altos o en otro cuarto. El objeto no es desaparecer los artículos, sino saber dónde están si los necesita.

Los sistemas que use para guardar lo que eligió diferirán de un cuarto a otro (un tablero tiene menos sentido en la oficina de un contador que en el espacio de dibujo de un arquitecto), pero se aplican los mismos principios. Guarde artículos pequeños como clips, ligas y gomas en recipientes chicos, agrupe los artículos similares, etiquete con claridad las cosas y luego siéntese y disfrute la calma de su oficina ordenada.

Ya se trate de su zona privada para escribir o de su oficina en casa, un espacio de trabajo bien organizado ayuda a que sea más productivo y a mantener las cosas en calma.

POR LA CASA

Cómo equipar un taller

Un taller compacto ofrece ideas para organizar y exhibir que cualquier artesano haría bien en copiar. Sus áreas de trabajo claramente definidas (una combinación de herramientas cotidianas y las antiguas almacenadas a plena vista) tienen lugar para todo y mantienen todo en su lugar.

Para cualquiera que sea práctico, el atractivo de trabajar la madera, construir botes, coser o las artesanías no es solo el producto final, sino también el placer de las herramientas involucradas. En toda casa, las herramientas son básicas, hermosas y esenciales. Ya sean herramientas modernas o antiguas, guardar estos artículos es mantenerlos organizados cuidadosamente y poder exhibirlos. Un cajón de la cocina no servirá ni tampoco un estante revuelto en el garaje. Las herramientas que se usan con frecuencia necesitan ser fáciles de hallar y al alcance de su espacio de trabajo principal. Una colección apreciada, ya sean herramientas antiguas, un trabajo artístico infantil o muestras de su trabajo, debe estar orgullosamente exhibida como una fuente de inspiración.

Al crear un taller con espacio para guardar y exhibir, saque el máximo jugo del espacio. Cubra las paredes con tableros para herramientas. Emplee cajas poco profundas o charolas para subdividir las superficies de trabajo y limpiar el espacio con rapidez. Este cuarto de trabajo es un buen ejemplo. Simple y eficientemente diseñado, el espacio vacío bajo el mostrador se maximiza y las áreas separadas del cuarto están diseñadas para dibujar y para el papeleo.

Una colección de antiguos cepillos, biseles y brochas, *izquierda*, cuelga de un tablero, junto a herramientas cotidianas, en una bonita combinación que guarda y exhibe. Las bandejas hechas con sobrantes de madera y las manijas pueden apartarse si se necesita espacio. **Un tablero cortado,** *derecha*, está pintado de azul para dar energía al espacio y exhibir las herramientas.

Este taller funcional aprovecha cada centímetro de espacio con zonas para anteproyectos, trabajo de madera y papeleo. Todo lo necesario en cada zona está al alcance y el tráfico fluye con facilidad entre todas las áreas. Para flexibilidad máxima, un largo mostrador de trabajo con almacenaje debajo da espacio extra; los proyectos y los suministros se guardan en cestos. La apariencia industrial de un resistente tapete de caucho disimula su comodidad para trabajos de pie; sirve como recogedor para proteger el piso de madera.

Una barra de tensión montada entre los aleros, *arriba*, es una inteligente mezcla de forma y función. Fijado con ganchos marinos para colgar las herramientas y las ilustraciones, el sistema se adapta a otro tipo de espacios de trabajo o talleres. **El largo mostrador de trabajo,** *derecha*, corre a lo largo del cuarto, donde se encuentra con el rincón de la oficina. Una cubierta de madera de bajo costo y compartimientos con marcos ásperos en una variedad de tamaños facilitan localizar los materiales almacenados.

LINO

Para mayor definición de cada área, incluya asientos adecuados a la tarea (un taburete alto cerca de la mesa de dibujo, una silla de escritorio en un hueco, una silla ergonómica en el área de la computadora. En este espacio, las tres zonas de trabajo distintivas están visualmente conectadas por la paleta de colores y una repetición de madera suavemente desgastada.

En una oficina planeada, lo que necesita para su proyecto está donde y como usted lo dejó.

Querrá tener a la mano herramientas esenciales para estar organizado. Aquí, este principio se ejecuta en un espacio discreto para esbozar, bajo los aleros. Puede aprovechar al máximo un espacio no convencional con la ayuda de abrazaderas que fijan las herramientas a las vigas y los papeles al escritorio. La mesa de dibujo es adecuada para el trabajo, realizado de pie o sentado. Para una iluminación enfocada para el trabajo, use lámparas con brazo giratorio fijadas a una mesa de trabajo, dejando libre la superficie del escritorio para los materiales de dibujo, los codos y el café.

Abrazaderas industriales, *izquierda*, exhiben el material y mejoran la apariencia del cuarto. **Un rincón bajo los aleros,** *derecha*, se mantiene limpio, con los dibujos almacenados y a la mano.

Drafting Dots

MeansForms
Construction Paperwork
THE WOODBOOK

Es posible crear un área de oficina eficiente en un espacio potencialmente "perdido": una madriguera para organizar los papeles encaja bien en los aleros bajo un techo inclinado. Equipado con un archivero y una placa deslizante para el teclado, este escritorio de rincón aprovecha al máximo su espacio discreto y ofrece todo lo necesario para las tareas de papeleo y archivo. Con lo necesario para la contabilidad y un espacio para la investigación, este acogedor rincón de ático se convierte en una estación apartada para llevar a cabo proyectos actuales y nuevas ideas.

El área de la oficina, *izquierda*, está acomodada para un uso fácil con un escritorio en forma de L que combina un espacio de trabajo para computadora y un centro de archivo en un rincón. **Las charolas de madera,** *arriba*, ofrecen almacenaje para muestras y equipo.

Detalles de diseño

Paleta de colores

Como la tierra y el cielo, el café y el azul son un par natural. Las paredes pintadas de azul colonial y un techo iluminado con una capa de pintura blanca añaden un encanto anticuado al estudio de un trabajador de la madera, con tantos tonos de café como un bosque. Las muestras de madera casualmente mal emparejadas, en una variedad de tipos, desde el fresno hasta la caoba, fijan el tono de matices de café que se repiten en todo el cuarto. La paleta resultante es tan tranquilizadora para el alma como el trabajo que allí se efectúa.

Materiales

Secuoya Una madera blanda café rojiza conocida por su resistencia, la facilidad con la que se trabaja y su gran resistencia y su habilidad para soportar las condiciones rigurosas del clima.

Tablero El tablero más modesto puede ser el sistema de almacenaje más inteligente: una hoja de madera perforada cortada al tamaño y montada donde lo desee. Las clavijas o los ganchos insertados en los hoyos sostienen herramientas y utensilios.

Tapete antifatiga Una buena inversión en un cuarto de trabajo donde pasa mucho tiempo de pie, el tapete antifatiga está diseñado para disminuir la presión en las articulaciones. Originalmente creado para uso comercial, se presenta en una variedad de grosores, colores y materiales. La mayoría tiene una base de caucho y dura muchos años.

Almacenaje fácil de ver

Una oficina familiar depende de un sistema de almacenaje etiquetado para los suministros. Ponga una imagen o un color llamativos, asígnele un lugar y estará ahí cuando la necesite.

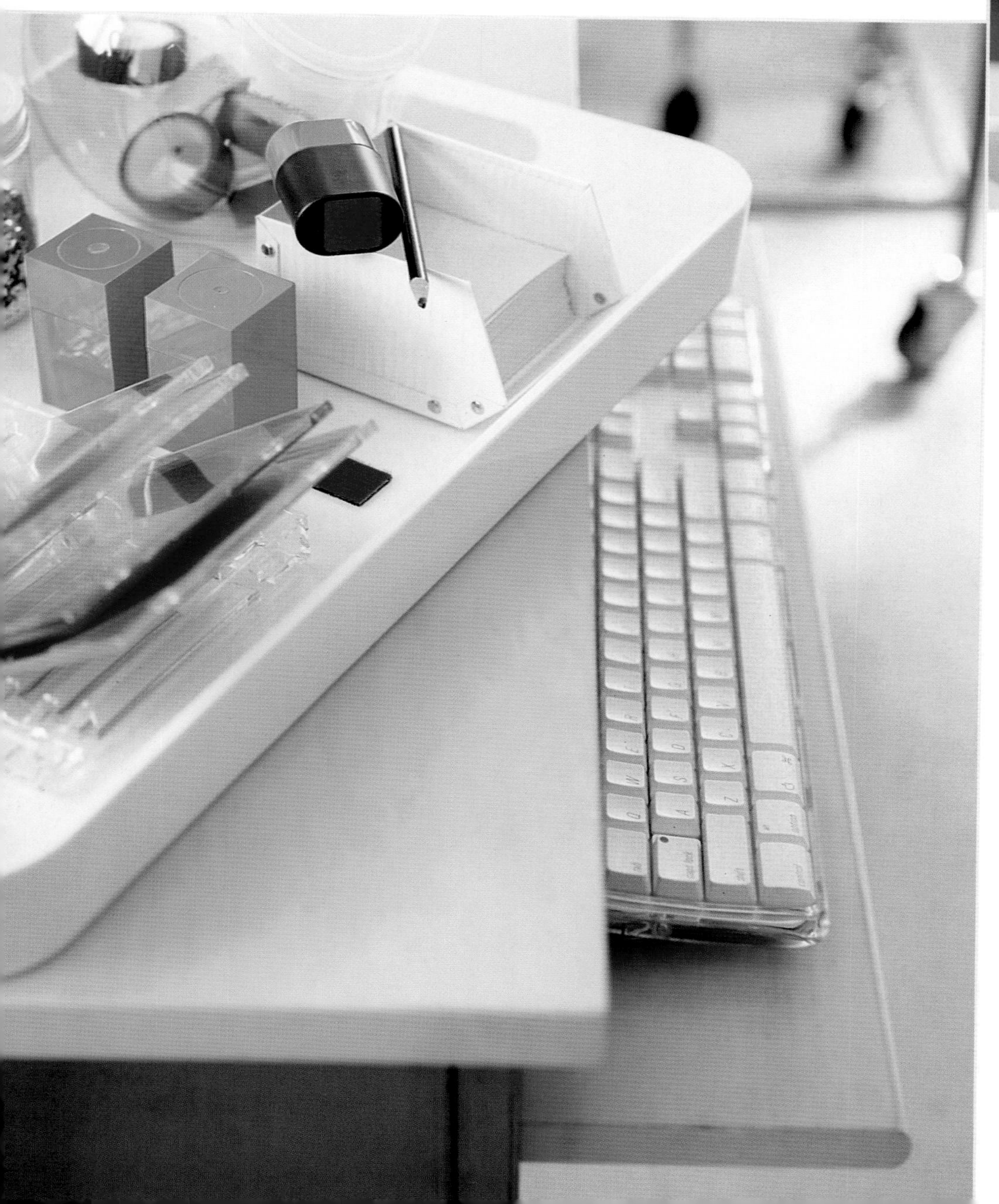

Mantener el almacenaje de una oficina familiar es fácil, una vez que tenga un sistema. Cree una base de material de oficina (una unidad que concentre el almacenaje en una sola área y que deje libre el espacio para proyectos). Y acomode el contenido en recipientes transparentes o ponga etiquetas de colores. Almacene los artículos chicos, como clips o tachuelas, en frascos transparentes; marque las latas que contengan cintas y otros artículos con copias de color del contenido. Agrupe los recipientes por tipo y tamaño.

Una charola blanca, *izquierda*, es un carrito de escritorio todo en uno. Las etiquetas con código de color indican la ubicación de los artículos. **Imágenes del contenido,** *arriba*, son etiquetas de color para almacenaje. **Una pared con estantes,** *derecha*, facilita ver de inmediato lo que necesita.

JONAH
JONES
EMBERS
EVERYDAY
JOE WILLIAMS
BASIE

Recipientes de uso múltiple, *arriba*, son una fuerte afirmación visual y puede etiquetarlos individualmente para almacenamiento. Las latas de té y de café y otros recipientes con tapa son adecuados para artículos de ferretería. **Las etiquetas con código de color,** *arriba derecha*, pueden usarse en los recipientes cerrados. Las maletas antiguas son una elección atractiva para el almacenaje a la vista. **Objetos,** *derecha*, como un escurridor convertido en recipiente para la correspondencia, suelen ser la mejor elección y añaden un toque de ingenio a un escritorio.

Organizar los artículos de oficina

Poder hallar el archivo cuando lo necesita es el objetivo de todo sistema de organización. Ya se trate de artículos de ferretería o fotos familiares se aplican las mismas reglas básicas: editar, separar, clasificar, etiquetar y archivar. Para esto, elija accesorios como organizadores personales. Visite los mercados de pulgas y las ventas de garaje en busca de recipientes con divisores integrados, recipientes para separar la correspondencia en oficinas postales, gabinetes de farmacias y rejillas de tostadores son organizadores naturales. Tenga a la mano etiquetas y marcadores para etiquetar el almacenaje cerrado y recipientes compactos para artículos chicos.

Una bolsa de herramientas de un trabajador de la construcción, *izquierda*, es una divertida oficina portátil para cualquiera cuyo trabajo incluya reunirse con clientes en obras; llena de herramientas, es igualmente útil como equipo para reparaciones en casa. **Los artículos chicos,** *arriba*, se almacenan mejor en espacios pequeños, como este recipiente de madera para artículos artesanales, lo bastante atractivo para exhibirlo en el escritorio. El mantener los artículos cotidianos, como ligas y clips, en compartimientos, significa no tener que buscar en un cajón revuelto.

37
USA

guardar

En un cuarto de trabajo que requiere de organización y orden, el guardar de modo inteligente es una necesidad. Sin embargo, si un espacio tiene usos múltiples (ya sirva como cuarto de huéspedes, sea un rincón en la sala o en la cocina) es indispensable un sistema de almacenaje diseñado con detenimiento.

Antes de elegir el almacenaje, haga inventario de su cuarto de trabajo, y valore las posibilidades del espacio a la mano. Evalúe los artículos que debe dejar a la vista (plumas, computadora, lápices, cestos para archivar, utensilios). Luego, elija las cosas que necesitan ser archivadas en estantes para acceso fácil (trabajo actual, muestras, botes de pintura) y lo que puede almacenarse a largo plazo (trabajos terminados, pagos de impuestos, negativos de fotografías, tarjetas, manuales del usuario). Una vez que haya establecido lo que va en cada categoría, casi termina.

Cómo organizar mejor el almacenaje depende de lo que necesite guardar. Los estantes abiertos son un almacenaje ideal para libros, artículos grandes, recipientes con objetos más chicos como clips o ligas o cestos con papelería, revistas o discos compactos. Si los productos principales de su cuarto de trabajo son documentos y registros de negocios, una inversión en los archiveros más atractivos o cajas para archivar tiene sentido. Sea creativo. Si un terminado de madera pulida no es su estilo, utilice un librero viejo, equipado con cestos, o un archivero de acero con dos cajones. Si su espacio de trabajo es alto, instale estantes que lleguen hasta el techo, junto con una escalera de biblioteca para alcanzar los sitios más altos.

Sobre todo, el almacenaje debe desempeñar doble utilidad. Un taburete con tapa removible puede usarse como asiento extra y para guardar en una oficina que es además un estudio. Un archivero puede adornarse con un florero y una lámpara para que sirva como buró en un cuarto de huéspedes.

Cuando el espacio en un cuarto de trabajo es limitado, halle más espacio en un corredor o ponga un estante en alto para añadir almacenaje. Si prefiere la apariencia de una oficina ordenada en lugar de un escritorio lleno o si su oficina comparte espacio con otra área, relegue la mayoría de los artículos a un escritorio con cubierta enrollable, para que pueda ocultar sus artículos. El punto de almacenaje de un cuarto de trabajo no es, después de todo, los metros cuadrados, sino el área que queda libre y limpia para trabajar.

El almacenaje inteligente elimina el desorden para un día de trabajo calmado y creativo. Simplifique su oficina con soluciones de acuerdo con su forma de trabajar.

THE AFFAIR
LOUIS XI
JULIUS CAESAR
CLEOPATRA
LENIN
BYZANTIUM
LAS VEGAS
Patrick
ELIZABETH I
WORLD WAR II
A GENIUS FOR WAR

Una oficina organizada

El almacenaje abierto en una oficina en casa no sólo inspira orden, sino que también compensa en flexibilidad, acceso y efecto visual. Haga una virtud de la necesidad al integrar almacenaje con exhibición y use muebles empotrados para definir zonas en un espacio de trabajo.

Los sistemas de almacenaje de oficina más exitosos abarcan todo tipo, tamaño y forma de almacenaje que requiere un espacio. Atienden también la naturaleza de un espacio de trabajo y de sus habitantes. No necesita ser psicólogo para saber lo que estimula el proceso creativo, ya sea en un salón de jardín de niños o en una oficina de diseño gráfico: color, variedad, forma, patrón, orden. Nada facilita más esa clase de mezcla como los estantes empotrados. Los muebles empotrados proporcionan un marco de trabajo organizado, visual y prácticamente. Son divisores ideales de un cuarto (cuando se usan para separar un área de recepción de una zona dedicada al trabajo o una oficina en casa del resto de la casa) y definen visualmente una parte del cuarto como un área dedicada al almacenaje y la exhibición.

Aquí, el empotrado del piso al techo delinea el espacio de trabajo principal y ayuda a definir un par de rincones que invitan a la lectura. Montada en un marco industrial, una unidad se desliza sin ruido al abrirse o cerrarse, al tirar de una manija para fácil acceso (o para ocultar con rapidez) la recámara adjunta. Fabricadas de madera para integrarse con la casa, las unidades de estantería tienen aspecto agradable que las convierte también en elemento decorativo.

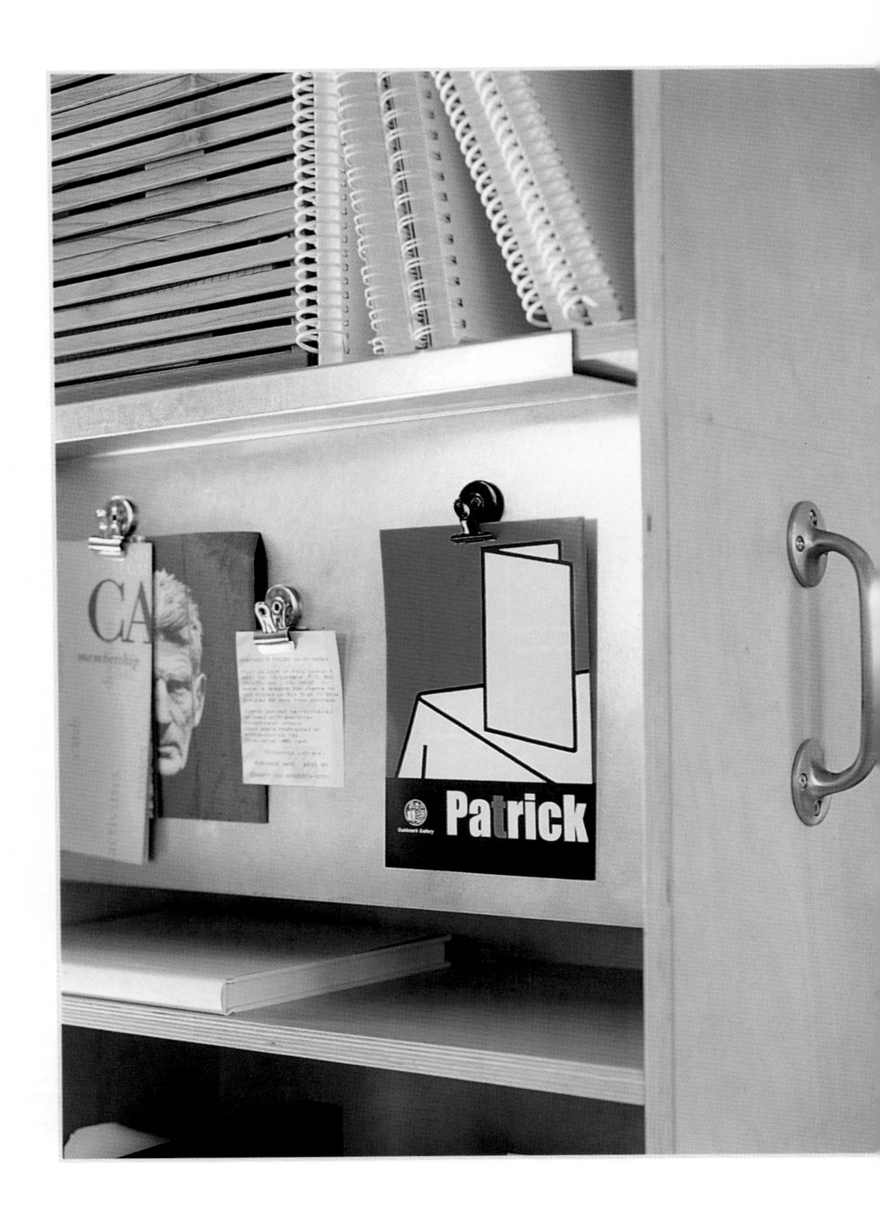

Una pared de almacenaje corrediza, *izquierda*, brinda almacenaje para archivos y queda espacio para exhibición. **Hojas de metal galvanizado,** *derecha*, sirven como tablillas sujetapapeles magnéticas al colocarlas en los estantes y están al alcance del escritorio, al deslizar la pared para cerrarla.

Al organizar los estantes, ponga los archivos de uso diario a nivel de los ojos y reserve los demás para archivos y que use con menos frecuencia. Para una apariencia más ordenada, organice por tipo y estilo de almacenaje. Las carpetas relacionadas van en estantes adyacentes; los libros de consulta, en una hilera y los objetos pequeños en recipientes que hagan juego. Si no puede evitar el amontonamiento, oculte los estantes con una foto o un tablero al tamaño.

Una composición agradable de escritorio, *arriba,* capta las formas y los colores en el espacio alrededor. **La pared de almacenaje medio abierta,** *derecha,* revela su papel como divisor y su versatilidad como unidad de almacenaje. La puerta se desliza para cerrarse y definir más el área del escritorio, así como para poner al alcance los objetos. Cada uno de los estantes profundos se usa al máximo para archivos de consulta.

PARIS

Una de las ventajas del almacenaje empotrado es la forma en que puede usarse para espacios imprácticos. En esta oficina en casa, las unidades gemelas de estantes convierten las paredes en un espacio de almacenaje útil y crean la ilusión de espacio extra al extender el área de la oficina hacia el pasillo. Bonito y elegante desde todo ángulo, el estante empotrado disimula un pasillo angosto y hace que la distribución parezca envidiablemente espaciosa.

En una oficina en casa, el almacenaje flexible es más que versátil. Le da la libertad para trabajar en el lugar que desee.

Un sistema de exhibición flexible con un estante colgante vuelve un rincón en un sitio acogedor para relajarse o para recibir a los clientes, lejos de los confines del escritorio. Un carrito bar cromado sirve como librero en este espacio angosto. Con la ayuda del librero de pared, las dos zonas de la oficina están vinculadas e invitan al uso de cada parte del espacio.

Un rincón soleado para la lectura, *izquierda*, es un sitio bienvenido para revisar archivos o consultar un libro de los estantes que cubren la pared. **Un carrito bar con ruedas,** *derecha*, es un útil e inesperado carrito biblioteca.

P.D. JAMES
ROME
VENICE

Detalles de diseño

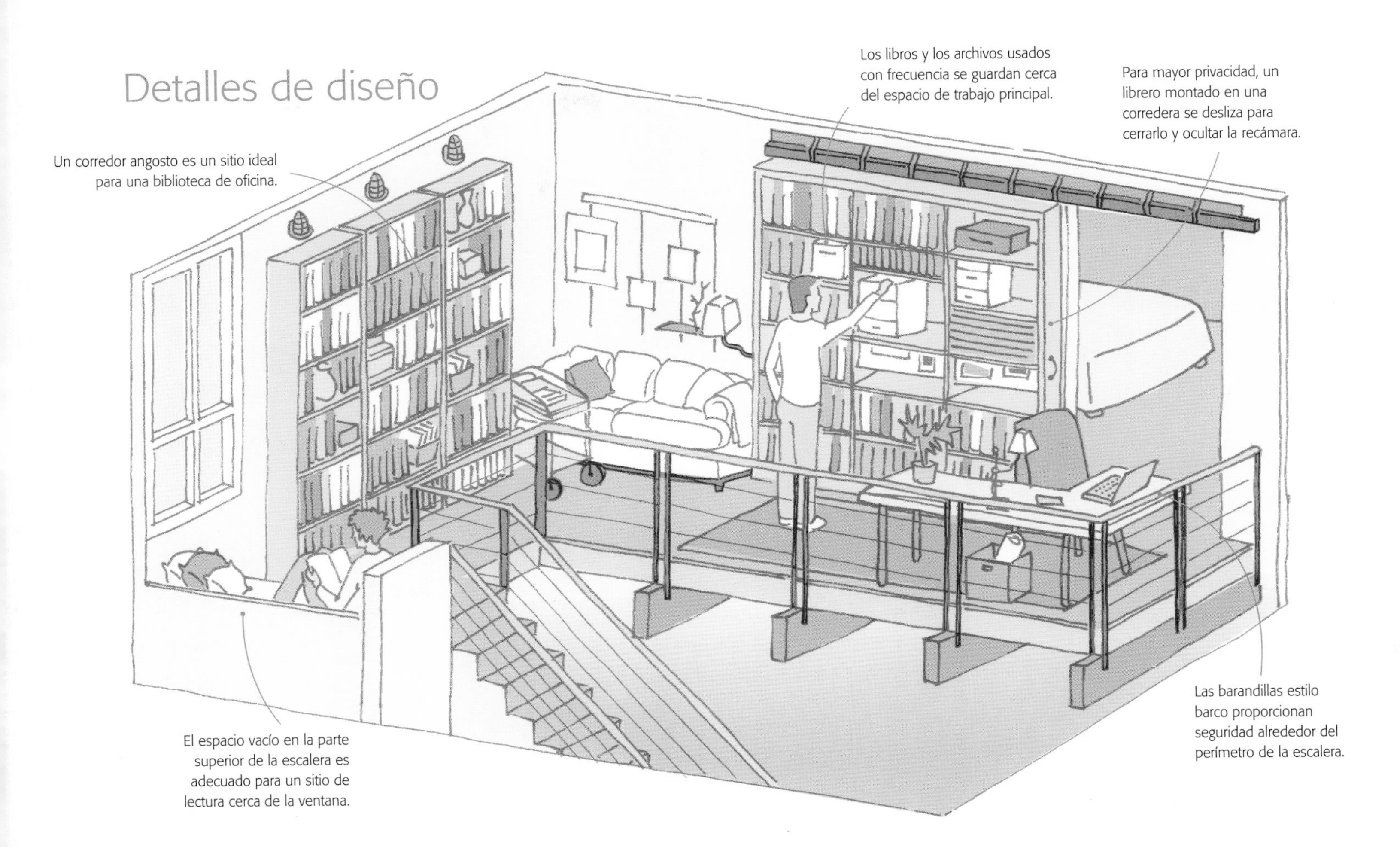

Paleta de colores

Los espacios osados invitan a un color atrevido, pero no necesitan pregonarlo. En una combinación ganadora que mezcla con sutileza y brillantez, las paredes cremosas y la madera clara de este piso de una oficina moderna, los estantes y las barandillas se alegran con varios toques de rojo brillante, en dosis chicas y grandes. El negro hace un señalamiento elegante y el efecto general es armonioso. El color es un elemento de energía de toda la unidad.

Plano del cuarto

El estilo halla utilidad en una oficina con múltiples zonas que hace uso ingenioso del espacio angosto de un hueco de la escalera. Por necesidad, cada elemento de este espacio de trabajo ocupa su área propia, pero la composición general crea una oficina en casa ideal. Combinados para un sorprendente efecto práctico y visual están el escritorio privado con vista propia y fácil acceso a la recámara y a un baño; una doble extensión de estantes y espacio para almacenaje; dos áreas muy distintivas para sentarse que invitan a los presentes a trabajar y a relajarse.

Materiales

Cuero Hecho de pieles de animales, el cuero es uno de los materiales más durables y flexibles de la naturaleza y buena opción para tapizar.

Cristal Una placa de cristal usada como cubierta de escritorio añade una nota de delicadeza. Se puede usar como cubierta en un escritorio de madera.

Madera natural Para estantes integrados o independientes, el pino o la madera dura evitan el combado y añaden toques cálidos.

Cuarto de trabajo y juego

Una cosa es una oficina eficiente y otra un espacio creativo para los niños. ¿Cómo diseñar un espacio compartido que agrade a chicos y a grandes? Guarde en cada nivel y añada toques ingeniosos.

Con algo de imaginación y mucho almacenaje planeado, incluso la oficina en casa más activa se convierte en un cuarto de proyectos familiares. Un escritorio empotrado y una mesa de trabajo dan acceso desde todos los lados y a cada nivel. Evite el amontonamiento con cajas numeradas y botes para cada miembro de la familia

Utilice los números, *izquierda*, para separar los artículos: numere cajas, según el sistema de almacenaje ya hecho. **Los recipientes de pintor,** *arriba*, guardan artículos de oficina para que estén al alcance y se compartan con facilidad. **Un rollo de papel para dibujo,** *derecha*, está fijo en el escritorio con un cortinero. El almacenaje y los asientos ajustables sirven para todos en la familia.

milo
ella
nina
TIMELESS TIARAS
ASPEN
FRENCH RIVIERA
THE GOOD HOME
THE CABIN
PIET MONDRIAN
Paris Interiors
white hot
GEORGE PLATT LYNES PORTRAIT
The New York Times PAGE ONE

Cómo hacer único el almacenaje

A veces, el recipiente perfecto para lo que necesita guardar hoy fue antes el recipiente perfecto para otra cosa. Ahora está vacío y solo espera entrar de nuevo en acción. Las ventas de garaje y las tiendas de artículos usados son fuentes para soluciones de almacenaje, pero quizá tenga una colección de recipientes en espera de ser descubiertos la próxima vez que limpie su trastero: busque en la cocina. Ya sea que se trate de la vieja caja de herramientas de su abuelo, de un especiero giratorio o de unos tazones favoritos, muchos artículos prácticos pueden utilizarse para un almacenaje creativo en la oficina.

Un buzón de metal viejo, *arriba*, junto con un cesto de alambre son un recordatorio caprichoso y difícil de olvidar para enviar por correo los pagos mensuales. **Un expendedor de popotes,** *arriba derecha*, se usó como recipiente para lápices en un cuarto artesanal. **El cajón profundo de una cama nido,** *derecha*, puede colocarse con uno o más marcos de archiveros colgantes para servir como archivero familiar y dejar espacio para almohadas y ropa de cama.

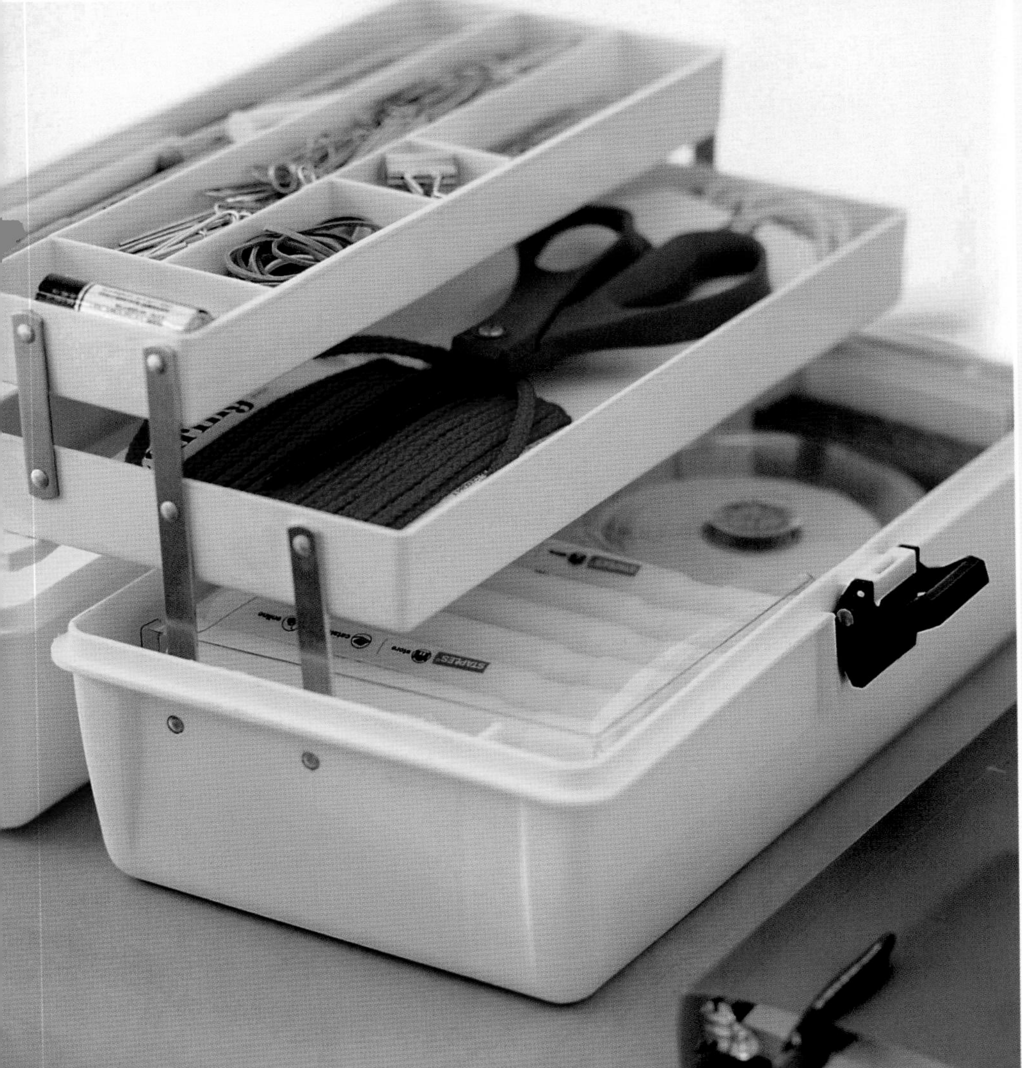

Una regla de carpintero plegable, *arriba*, colocada en un escritorio, se convierte en un práctico tarjetero, galería de fotografías o recordatorio de fechas de pago. El mismo sistema funciona para tarjetas de recetas en la cocina o incluso para la correspondencia entrante. **Una caja de plástico con varios separadores,** *izquierda*, es un recipiente especialmente versátil. Úsela para organizar los artículos de oficina, joyería (o lo necesario para fabricar joyas), como costurero o para artículos para artesanías o incluso como caja de herramientas ligera. Decorada con engomados de colores y el nombre o las iniciales de un niño, sirve como un irresistible cofre de tesoros. Elija algunas cajas de aparejos para colocarlas en cada clóset y ver si sirven para almacenar esos artículos pequeños fáciles de extraviar, que se acumulan en casi cada cuarto de la casa.

accesorios

14 15 16
55 56 57 58 59 60

La idea de que el trabajo pesado requiere un sitio simple es un mito. En realidad, lo contrario es cierto: un espacio de trabajo amueblado con objetos hermosos es una buena inspiración. No sólo brinda un sitio acogedor en el cual realiza su mejor esfuerzo, sino que ayuda a estimular la creatividad. En cuanto el escritorio está en su sitio, añada accesorios. El mejor consejo es seguir sus ideas y sus instintos estéticos.

Si se trata de colocar los accesorios en su área de trabajo, la línea entre lo útil y lo decorativo se borra fácilmente. Muchos accesorios se catalogan pueden hacer el trabajo, pero un especiero giratorio o una botella antigua pueden organizar también un escritorio, y añaden personalidad y estilo.

Mantenga la mente abierta si busca formas para convertir objetos en accesorios de oficina. En lugar de las cajas comunes de plástico, pruebe con algunos bonitos botes de lona o con un par de bandejas laqueadas de color brillante. Haga un archivo de escritorio con una rejilla para tostar antigua o con un tablero magnético. Convierta un carrito bar cromado en una librería para tener a la mano libros o trabajos en progreso.

Los objetos típicos de oficina son la clave. Si usa objetos antiguos y con un nuevo fin como accesorios de escritorio, añade ingenio y estilo a su oficina.

como útiles: teléfono, lámpara, cesto de basura, engrapadora y cinta adhesiva. Pocos extras son indispensables para unos, y menos importantes para otros: cafetera, tapete grueso, cojín colorido en la silla para calmar el dolor de espalda.

Considere los accesorios como su personal de apoyo, los asistentes que mantienen en orden los papeles y herramientas, que cuidan su escritorio o el piso abajo de éste, que guardan su papelería y mantienen sus libros acomodados. Se han hecho fortunas diseñando recipientes y sistemas para estos propósitos, pero hay también una riqueza de alternativas con estilo que se hallan en objetos inesperados. Los artículos de oficina tradicionales

Los accesorios del espacio de trabajo deben energizarlo y divertirlo durante toda la jornada. Deben también ser fáciles de usar y adecuados para sus tareas. Elija primero entre sus propios tesoros y quizá halle objetos prácticos que llenen su oficina con humor y deleite. Si la lámpara que utilizó durante los años de escuela aún funciona, sacúdala y exhíbala con orgullo. Haga un librero de una banca de jardín, un tablero para anuncios pequeño de un marco de pintura antiguo, un sujetador de notas de una caja de puros vacía. Son estos detalles personales los que dan vida y estilo a su oficina en casa o a su espacio de trabajo y hacen que sea un placer trabajar.

Un día festivo de trabajo

Los espacios de trabajo de fin de semana son el refugio de las exigencias de la vida diaria, junto con todo el equipo que requiere. Al amueblar una oficina en un retiro vacacional, renuncie a la eficiencia rápida y rodéese de momentos inspiradores y las comodidades que ama.

Las casas de fin de semana tienen una forma de romper las reglas y las definiciones. Reflejan un estilo más suelto y cómodo, basado en muebles informales y unas colecciones estrafalarias. Los recuerdos se forman en casas de verano, un hecho que reflejan sus muebles cómodos y amados y exhibiciones eclécticas. Si anhela una oficina con la misma atmósfera relajante, tiene sentido amueblarla con objetos favoritos a los que se les da nueva vida: una mecedora de mimbre, una banca de jardín como librero. Permita que el sentimiento juegue un papel para decidir qué muebles ameritan este nuevo enfoque de la oficina. La imaginación y el deseo de experimentar son lo que hacen que todo funcione.

Los accesorios unen con facilidad el espacio entre la oficina en casa tradicional y el estilo de una casa vacacional. Decore una mesa de trabajo con conchas marinas para guardar los clips y las tachuelas; coloque un trapo en el escritorio en lugar de un secante. Los accesorios dan gracia a un cuarto. Algo tan simple como unos cojines que hacen juego puede transformar un par de asientos en una armoniosa pareja. El agrupamiento creativo de accesorios en un escritorio o en el alféizar de una ventana puede redefinir el estilo de la oficina con un esfuerzo mínimo.

Una mesa campestre, *izquierda*, cubierta con una tela de algodón y un antiguo escurridor de platos para la correspondencia, crea una superficie de trabajo informal. **Reliquias plateadas,** *derecha*, y un carrito de madera son accesorios para escritorio y recipientes para los artículos de oficina.

Un pórtico convertido en oficina es un sitio ideal para poner recuerdos. Una suave paleta de azul y blanco se refuerza con accesorios que llevan la naturaleza de rincón en rincón. Estrellas de mar etiquetadas en las paredes conjuran una historia de buscadores familiares en las playas. Lámparas de cristal y tapetes añaden comodidad y mejoran el estado de ánimo. Piezas que ganaron sus muescas sirviendo a generaciones se mezclan con compras más recientes.

Los mensajes en botellas, *arriba*, decoran el alféizar de una ventana y refuerzan el tema marino. **Las bancas pintadas en tonos de playa,** *derecha*, vuelven el espacio sobrante bajo las ventanas en un área útil de almacenaje de libros, revistas y artículos para escribir. Una pila de almohadas convierte una banca en un asiento de ventana. Los cestos tejidos añaden un segundo nivel de almacenaje y sirven para una limpieza rápida si se espera compañía.

DOGS THAT KNOW

Incluso un espacio de trabajo de fin de semana necesita ser flexible, en especial si lo comparte la familia. Un tablero de avisos y algunas superficies de trabajo son básicos. Una simple mesa pintada sirve como centro de comando para mensajes, postales y revisar las citas. Aunque nos gustaría olvidarlas, las exigencias de la vida diaria nos siguen en las vacaciones: una vieja carátula de reloj que domina un bodegón compuesto, lleva con humor un registro de dónde necesita estar la familia y cuándo.

> En un cuarto de trabajo vacacional, los accesorios preservan recuerdos de fines de semana.

La belleza de cartas escritas a mano, de objetos hallados en la naturaleza y de recuerdos amados tiene preferencia sobre la electrónica moderna. En lugar de un archivero o una consola de oficina que podrían ser intrusos en este ambiente sereno, la cesta tejida acomodada en el estante más bajo de la mesa guarda la correspondencia, las revistas y los periódicos.

Una antigua mesa repintada, *izquierda*, fue usada como escritorio campestre. Un conjunto de notas adheribles convierte la carátula de un reloj en un calendario de citas. **Un tablero con un simple marco de madera,** *derecha*, se mezcla con la paleta cromática del cuarto.

RSVP
Kate Curran
Interior Design
We've Moved
In Home
12
11
10
1
2
3

The Hours
AMERICAN ANTIQUES
TASTE
New York
SAUL BELLOW
JOYCE CAROL OATES

Detalles de diseño

Paleta de colores

Azul, blanco y marrón se unen para una paleta marina y son la combinación de colores perfecta para conjurar recuerdos de días relajados en la playa. Siguiendo el ejemplo de la vista al otro lado de las ventanas, el tapete natural en la oficina se extiende sobre un piso de madera no terminada como una manta sobre la arena. Los paneles de madera pintados de azul dan al cuarto un tono de agua. Los ribetes blancos cremosos y algunos muebles azul-verdoso añaden toques claros y frescos a la tranquilizante paleta de colores.

Materiales

Paneles de madera Un revestimiento de madera para las paredes de casas antiguas, los paneles de madera pueden cubrir solo la porción más baja de un cuarto, marcada por una moldura decorativa a la altura del respaldo de las sillas.

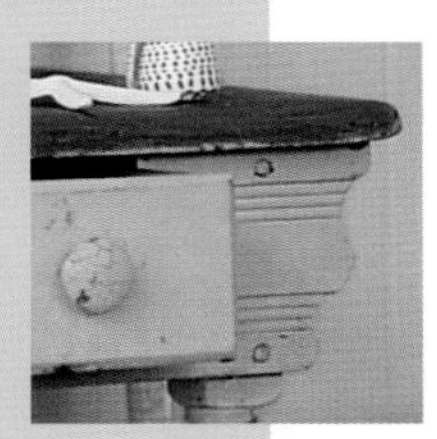

Madera pintada La pintura sella la madera y crea una superficie tersa fácil de limpiar. Las pinturas especializadas, como las de leche y el craquelado, producen atractivos aspectos desgastados que complementan los muebles. El pino es adecuado para pintarlo y para terminados lustrosos, y también para los más tradicionales.

Mimbre Hecho con ramas flexibles de sauce tejidas apretadamente o con tramos de ratán alrededor de un marco resistente, el mimbre se usa para cestos y muebles. Aunque menos durable que la madera, el mimbre puede durar un siglo o más.

Tonos apagados de azul forman un fondo para una encantadora variedad de bancas y de taburetes para niños que exhibe una desgastada colección de libros de la casa de verano. Colocar mesas bajas y taburetes contra una pared es una manera de crear almacenaje extra que sirve también como asiento si se necesita. Una mecedora un poco desgastada es excelente para crear un rincón contemplativo en una casa vacacional. Los tonos miel de las duelas del piso y el suave tapete de yute hacen de este sitio un atractivo natural para los lectores de días lluviosos

Un detalle arquitectónico antiguo, *izquierda*, se convierte en un archivero de cartas con forma de portilla. En lugar de relegarlo al ático, un triciclo de madera sirve para llevar libros. **Las apreciadas estrellas de mar,** *arriba*, crean una exhibición temática en la pared.

Una oficina en la cocina

Una oficinita ordenada es una ventaja para toda cocina. Para integrar ambas áreas de trabajo, use sus utensilios de cocina como accesorios de oficina ingeniosos para organizar su espacio de trabajo.

Una cocina es perfecta para tener una oficina (un espacio para escribir una nota, hacer listas o pagar cuentas y se termina un café). Cree un espacio de trabajo con muebles de almacenaje flexibles y nuevos propósitos. Los usos alternativos de los utensilios de cocina crean una apariencia integrada y con estilo: un batidor de alambre sirve como portatarjetas, un frasco guarda artículos de oficina, un especiero tiene artículos de oficina pequeños.

La panera cromada, *izquierda*, sirve de papelero y la taza para medir lleva objetos indispensables. **Un especiero y un portapopotes,** *arriba*, guardan clips y plumas. **Una charola giratoria en un estante,** *derecha*, guarda artículos de oficina.

Italian Cooking
Autumn
Spring
Summer
ROGERS GRAY ITALIAN COUNTRY COOKBOOK
Chicken
Stir-Fry
Fish
Grilling
Pasta
Pizza
Thanksgiving & Christmas
Beans & Rice
Potatoes
Salads
Cookies & Biscotti
Pies & Tarts
Cakes, Cupcakes & Cheesecakes
Pinot Noir does the duck walk

Bills

Ergonomía en la oficina

Aunque su espacio de trabajo sea atractivo, solo disfrutará las horas que permanece ahí si se siente cómodo. Hallar la combinación correcta de silla, escritorio, iluminación y lugar de la computadora requiere de pruebas. Se aplican principios, sin importar su organización. Primero, determine cómo acomodar su estación de trabajo para evitar molestias en espalda, hombros y muñecas, relacionada con el estrés. Las sillas de trabajo deben ser ajustables en altura y las que tienen brazos deben estar colocados lo suficientemente bajos para permitir que sus hombros se relajen. Los pies deben apoyarse en el piso. Coloque la iluminación para trabajar de manera que no brille ni en sus ojos ni directamente en el monitor. El teclado y el ratón deben estar en un ángulo de 100 grados de su torso, para que escriba y use el ratón sin forzar las muñecas. Coloque el monitor directamente frente a usted, a nivel de los ojos, para prevenir la tensión en el cuello.

Un escritorio para pagar las cuentas, *página opuesta*, combina suficiente superficie para escribir con compartimientos de almacenaje colocados a la mano y al nivel de los ojos.

Organizado principalmente para trabajo telefónico, *arriba derecha*, este escritorio divide el espacio de la superficie por función. Un altavoz del teléfono y una base para documentos ayudan a prevenir la tensión en el cuello. Si usa una laptop, colóquela sobre una pila de libros, hasta que esté a nivel de los ojos.

Una estación de computadora, *derecha*, emplea un cojín para ratón para reducir la tensión en la muñeca y la fatiga en la espalda. Si trabaja periodos largos en la computadora, vale la pena invertir en una silla ergonómica o usar una almohada lumbar para un soporte bajo de la espalda y un taburete para los pies para ayudar a prevenir la tensión en las caderas.

Crear un calendario a la medida

Las libretas de citas y los organizadores son buenos regalos para el día de la madre o del padre, pero la vida cotidiana de una familia activa exige un calendario familiar (grande, llamativo e imposible de ignorar). Colóquelo en un sitio en el que todos lo vean y conviértalo en algo sensacional: dedique una pared entera para anotar las tareas y las citas del mes. Mida el espacio disponible en la pared, divídalo entre el número de miembros de la casa y proceda con una de estas cuatro soluciones para hacer de un tablero, o pizarra un sistema de organización que atraiga todas las miradas.

Unos tableros de corcho, *arriba*, le permiten registrar las entradas y salidas de todos y colocar los mensajes telefónicos, los recordatorios e incluso los artículos fáciles de extraviar, como las llaves del auto.

Una rejilla con marco de Plexiglás, *derecha*, sirve como calendario perpetuo para anotaciones. Cada día del mes tiene su gran cuado y cada miembro de la familia tiene su propio marcador de color para anotar citas y dejar mensajes. La superficie borrable le permite empezar cada mes con el calendario limpio.

Un pizarrón magnético grande, *izquierda*, reinventa el tablero de mensajes. Colóquelo en el vestíbulo o sobre la mesa de la cocina. Anote ahí los partidos de futbol de la semana y las citas con el dentista, adhiera invitaciones y recordatorios y persuada a su familia para que haga lo mismo. Apéguese al negro y al blanco para un aspecto elegante o use gis de color e imanes brillantes para personalizar los mensajes y las citas. **Una pizarra blanca con marco,** *arriba*, adaptada con ganchos para llaves, marcadores borrables y fotografías de cada miembro de la familia, se convierte en un juguetón centro de mensajes y planeador semanal. El sistema invita a todos en casa a participar de este programa (y de la improvisación artística), lo que ayuda a llevar un control del transporte, cenas familiares y juegos de béisbol, en una casa activa.

exhibir

El arte de exponer es exhibir lo mejor posible las posesiones más preciadas. Hay también un componente más sutil: revelar la belleza interior de los objetos cotidianos que llenan nuestras vidas. Un simple jarrón en un estante, un conjunto de herramientas antiguas relacionadas con el trabajo que le gusta hacer; todo esto se vuelve especial al presentarlo con autoridad. Sea que tenga a la mano una litografía de autor para ocupar una pared o una colección de postales del viaje de su hijo, la forma en que exhibe las cosas puede animar el carácter y el ambiente de un cuarto de trabajo. De la azotea al vestíbulo, del bote de la basura a un lugar de honor en el estante, exhibir hace un arte de los objetos comunes y de los especiales que elegimos.

En un espacio de trabajo, las herramientas que usa son un material atractivo para exhibirlo: libros que reflejan su pasión vocacional, dibujos arquitectónicos, mapas, fotos o dibujos al carbón. Aun los artículos de oficina son una presentación agradable si se colocan en un estante largo, en botes con código de color o carpetas etiquetadas. Cualquier cosa que pueda enmarcarse, colgarse, acomodada en una repisa o en estantes, puede convertirse en una exposición irresistible.

Los tesoros expuestos juiciosamente pueden ayudar a reforzar la sensación de orden en un cuarto de trabajo. Busque formas armoniosas de agrupar objetos similares o no. Fotos no relacionadas en color y en blanco y negro, enmarcadas, pueden llenar una pared con efecto espectacular. Con una caja de tachuelas y portadas de álbumes de discos, puede crear una galería temática. Una colección de autos miniatura podría adornar un estante, a lo largo de una pared. Las entradas al estadio de futbol de partidos memorables pueden formar un espléndido collage, bajo una cubierta de escritorio de cristal. Las fotografías familiares en grupo enmarcadas, formando conjuntos o en hilera, donde con seguridad las verá.

Al poner la exposición en un cuarto de trabajo activo, ya lleno con artículos de oficina, trate de no introducir demasiadas colecciones. Si tiene muchos objetos que aprecia, considere rotarlos durante el año, para evitar el amontonamiento en su espacio de trabajo. Dé a cada una tiempo de exhibición y brillo propios y luego simplemente rótela cuando esté listo para un nuevo cambio. Es probable que el cambio desencadene momentos de inspiración en su trabajo. Pasar tiempo con amigos suele hacerlo.

Exhibir no es sólo el arte de mostrar objetos hermosos, sino también el de acomodar los objetos ordinarios de modo que el placer que despiertan sea visible.

OWL
MAGPIE
RAVEN
SPARROW
HAWK
CROW
DOVE
SWALLOW
FINCH
SKYLARK
SWIFT
QUAIL

Lecciones del estudio de un pintor

El estudio de un artista usa el poder de la forma y el color para inspirar creatividad y definir el estilo. Pintado de blanco brillante, de piso a techo, el espacio de trabajo sirve también como galería de arte y convierte incluso los objetos cotidianos en obras de arte en exhibición.

La magia del color (y el beneficio de una paleta blanca) tiene la habilidad de unificar un espacio de trabajo y de satisfacer necesidades de creatividad y orden. Pocos cuartos de trabajo tienen más herramientas que el estudio de un artista. Al blanquear el fondo con paredes recién pintadas, un lienzo en blanco del tamaño del cuarto se crea y un nuevo nivel de orden y posibilidad se vuelve evidente.

En este estudio, se atrae la atención hacia la forma y el color. La sorprendente exposición gráfica en la pared tiene belleza propia y es un recordatorio sutil del poder de la simetría para liberar la imaginación. Las exposiciones pueden usarse para acentuar el tema de un cuarto, resaltar su estructura o dirigir la mirada; usted no tiene que ser un artista para lograrlo. Amplíe una docena de fotos favoritas, colóquelas en marcos y acomódelas en una celosía. Experimente con diferentes acomodos, colocando primero los marcos en el piso y luego cuelgue su combinación favorita. Para un efecto similar en una escala menor, coloque hileras de alambre a lo largo de una pared y cuelgue su colección de postales de museos. Incluso una serie de clips montados puede crear una exhibición artística de sus mapas favoritos, telas o de papel de envoltura hechos a mano.

Un estuche de carpintero rojo, *izquierda,* guarda los artículos, colocado junto a la exhibición vibrante en la pared. **Los cajones de archivos para dibujos grandes,** *derecha*, pueden usarse en todo espacio para mapas, fotos, documentos grandes o artículos artesanales y para envolver regalos.

En este estudio, una gran estación de trabajo y almacenaje parece flotar sin peso en el centro del cuarto. Su posición permite el flujo de tráfico y está colocada lo bastante baja para permitir líneas de visión a lo largo del cuarto. Varias exposiciones (caballete en el rincón, caballetes hechos de sillas, alféizares y un estante) permiten que el trabajo del artista se seque, mientras añaden exposición al cuarto.

Un escritorio flotante, *arriba*, hecho de una hoja de Plexiglás se apoya en archiveros. El espacio permite guardar artículos a plena vista, lo que crea una miniexposición al verse desde arriba. **La mesa de trabajo en el centro,** *derecha*, incluye espacio para un almacenaje generoso y una superficie de trabajo a la que se tiene acceso por todos lados. La forma cuadrada de la isla hace eco con la exposición de la pared y su posición central en el cuarto.

HANDMADE
DON'T
BE
TOO
CAREFUL

Detalles de diseño

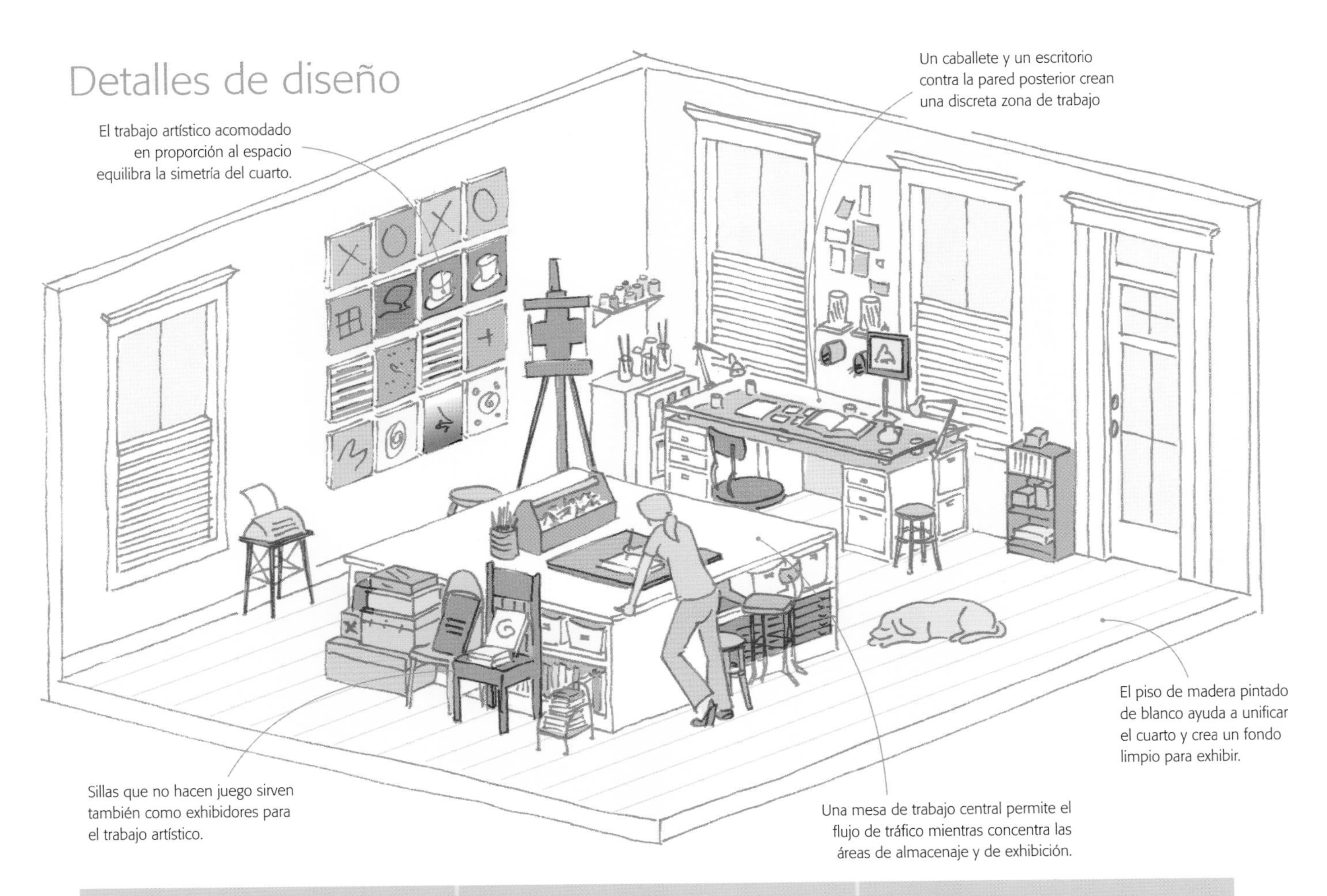

Paleta de colores

El blanco de pared a pared y de piso a techo fija el marco en un estudio repleto de arte colorido. El blanco puede vincular un cuarto de trabajo y sirve de lienzo en blanco y base de organización. En un campo visual amontonado, como en una pintura, el rojo atrae la mirada y ayuda al espectador a enfocarse y a entrar en el ambiente. Los toques en negro ofrecen un punto de reflexión y reposo y son excelente sitio de anclaje en un espacio grande.

Plano del cuarto

Una isla de trabajo masiva en el centro del estudio define arquitectónicamente el espacio, mientras libera las paredes para exhibición y un área de escritorio alterna. Al ubicar el espacio de trabajo principal en el centro del cuarto se reduce también el amontonamiento y mejora el tránsito. Las grandes dimensiones de la isla hacen posible dejar trabajos en progreso cuando se necesite. Un área de trabajo separada colocada contra la pared para proyectos más chicos o trabajos de oficina rutinarios ayuda a mantener el orden en un cuarto lleno de inspiración creativa.

Materiales

Pisos pintados Los pisos de madera cubiertos con una fórmula de pintura durable (algunas hechas especialmente para pisos) pueden unificar un cuarto de trabajo.

Plexiglás Material acrílico de gran dureza y parecido al cristal, el Plexiglás es más ligero que el vidrio.

Lona La lona de algodón lavable sirve para los botes de almacenaje en la oficina y para fundas. Busque botes de telas pesadas para que conserven su forma.

Un espacio pequeño

El amor por las herramientas y por el orden convierten un estudio pequeño en una obra de arte funcional. Pocos muebles y pilas ordenadas permiten que los artículos en exhibición inspiren.

Para crear un cuarto de trabajo bonito no es necesario depender de muebles caros ni de mucho espacio. Este estudio (inspirado por los de estudiantes chinos) muestra que puede acomodar objetos cotidianos y herramientas para crear un área de trabajo como si fuera un cuadro. Cada elemento recompensa la mirada con belleza, desde la angosta escalera de madera contra la pared como un exhibidor y tendedero, hasta las torres de grandes libros de arte que se elevan desde el piso.

Un pequeño secreter, *izquierda*, guarda y exhibe las herramientas. **Los pinceles de caligrafía,** *arriba*, enfatizan la artesanía. Formas de letras transparentes, derecha, aprovechan la luz del sol.

COLOR
CHINESE ART

POR LA CASA

Galería en una oficina en casa

Una osada exposición de fotos y objetos de interés en las paredes y estantes de la oficina es como un álbum de recortes pero en grande. Mezcle fotos antiguas y nuevas con mapas y recuerdos para hacer una exposición estilo galería de recuerdos felices, logros y ritos iniciáticos.

Reunir una exposición de fotografías y recuerdos familiares es uno de los pasatiempos más satisfactorios de la vida. Las tardes pasadas buscando en cajas de cartas viejas y talones de boletos, eligiendo y enmarcando fotografías de viejos amigos y de antepasados interesantes son recompensadas por el deleite del reencuentro. El convertir esos esfuerzos en una galería en la oficina asegura que el placer se mantenga y puede hacer que su espacio de trabajo resulte intrigante para la familia y los visitantes.

Rodearse de rostros familiares mientras trabaja proporciona inspiración y comodidad. Ejecutado con la clase de estilo que se ve en esta oficina en casa, una exposición tipo galería da a un cuarto definición arquitectónica y poder emocional. Puede adaptar arreglos de fotografías a cualquier estilo de estantes o de espacio en la pared. Ya sea que exhiba sus tesoros en una pared desnuda, bajo un cristal o en algunos estantes modestos, hágalo con confianza curatorial. Mezcle tamaños y formas de marcos. Para lograr una exposición de calidad de museo, deje espacio para experimentar, como en esta oficina, y dedique un tablero para pruebas y dé un puesto de honor a las piezas terminadas.

Una cuerda entrecruzada entre estantes, *izquierda*, añade el elemento casual de un tablero a una galería más formal. Las fotos con clips pueden rotarse. **La colección de fotos familiares,** *derecha*, vincula a generaciones. Las fotos enmarcadas arriba son parte de la "colección permanente".

To E. T. HALL, Dr.
IN MEMORIAM
FOREST CAMP
NO. 6
LINCOLN.

Este amplio cuarto de trabajo es el sitio para una exposición. Aquí, los estantes negros y angostos son una forma ordenada para exhibir una colección de arte grande. Los estantes y los alféizares le permiten mover con facilidad las fotos enmarcadas. En esta oficina compartida, una colección de fotos familiares se convirtió en contemporánea con marcos nuevos.

Una galería cambiante de recuerdos celebra los viajes de la familia e ilustra su historia.

Para enmarcar como un experto, elija marialuisas neutrales al ácido (el ácido en algunos artículos de papel puede hacer que las fotos se deterioren) y asegúrese que el claro de la marialuisa sea ligeramente más pequeño que la foto. Para evitar que las fotografías se deformen, fíjelas sólo a la parte superior de la marialuisa al enmarcarlas. De las fotografías irremplazables debe sacarse una buena copia; enmarque las copias y conserve los originales en cajas para archivarlas con seguridad y para una fácil localización.

Cajas de plástico protectoras sobre la mesita, *izquierda*, facilitan examinar los documentos familiares valiosos, como las escrituras de propiedades y las boletas de calificaciones. **Una mesa ligera empotrada,** *derecha*, permite la identificación fácil de viejos negativos.

Un sentido de tamaño y proporción es esencial para una exposición atractiva. Fechar fotos y otros materiales o clasificarlos por tema proporciona coherencia a una colección grande.

En los álbumes no lucen las fotos: sáquelas del álbum y colóquelas en la oficina para que pueda disfrutarlas todos los días.

El espíritu familiar podría transmitirse mejor a través de muestras deportivas multigeneracionales, series de recuerdos personales, una exhibición de arte folclórico o una colección de recetas escritas a mano. Vale la pena que enmarque los logros académicos o artísticos, los documentos de naturalización, los certificados de nacimiento, las actas de matrimonio y las escrituras de las propiedades. El combinar dichos documentos con fotografías de las personas cuyos nombres aparecen en estos es una forma de honrar el pasado y su significado para la vida que vive en la actualidad.

Collage de fotos en un secante de escritorio, *izquierda*, y una lámpara articulada alegran una superficie de trabajo ebonizada. **Un mapa en un tablero de corcho,** *derecha*, ubica a los antepasados inmigrantes, desde el desembarco en Boston y Pensilvania, hasta un encuentro en un lugar para esquiar en Colorado.

United States of America
150 Masterpieces of Drawing

EUROPE
AT THE
TIME OF NAPOLEON'S
GREATEST POWER
ABOUT 1810
KINGDOM OF
GREAT BRITAIN
AND IRELAND
ATLANTIC
OCEAN
AMERICA
AMERICAN ARTISTS
AMERICAN MASTERS
PICASSO
PICASSO · WORKER
CREATIVE DRAWING
THE ART OF DRAWING
The Art of Drawing
Drawing the Line Against AIDS

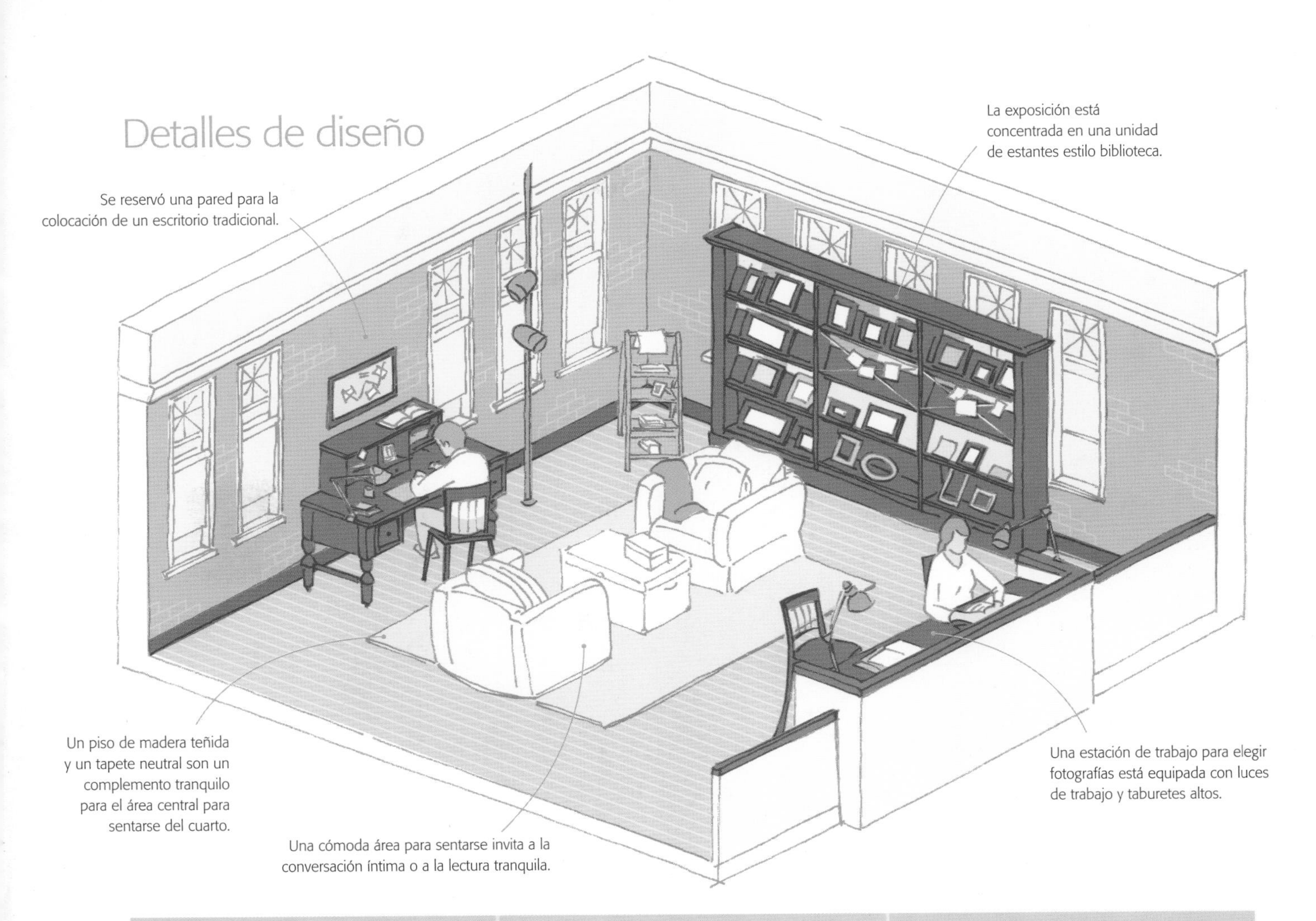

Paleta de colores

El color rosado moteado y suave del enladrillado de terracota tiene una belleza y autoridad que pocos colores pueden igualar. Requiere de una mano moderada y de colores limpios y claros, como el negro y el blanco clásicos empleados en los ribetes y en los muebles en esta espaciosa oficina. El negro lustroso de los escritorios y del exhibidor añaden sofisticación y el blanco del área para sentarse define un oasis para la relajación.

Plano del cuarto

Los múltiples usos de esta oficina en casa familiar y galería están bien utilizados mediante una subdivisión del espacio en cuatro zonas discretas. Los escritorios a los lados opuestos del cuarto permiten que dos o más personas trabajen al mismo tiempo en una privacidad relativa. Un área para sentarse en el centro da al espacio un enfoque visual y un punto bienvenido para conversar o leer, mientras que deja libre toda una pared para una exposición estilo museo. Los estantes enfatizan el propósito de este cuarto para proyectos con una historia familiar fotográfica.

Materiales

Ladrillos Bloques de barro cocido al horno o por el sol, los ladrillos se han usado en todo tipos de construcción por milenios.

Sarga Tela con textura y tejido apretado identificada por su tejido diagonal, la sarga es durable, versátil y se suaviza con cada lavada.

Lana Una fibra tradicional para alfombras y tapetes, la lana es duradera, resistente a la suciedad y un aislante efectivo. Añade textura a un cuarto.

Cómo personalizar un tablero

Todo espacio de trabajo necesita un lugar para colocar invitaciones, tarjetas de presentación, fotos, boletos y notas. Es obvio que estos recordatorios deben verse con facilidad y, ¿por qué no convertir los mejores en una exhibición artística? Tome una lección de escuela primaria y cree un tablero, pero en lugar de colocar estrellas para usted, transforme sus papeles importantes en un acomodo distintivo. Los artículos de la casa a veces son las opciones más atractivas: letreros de metal fijados con clips magnéticos, tramos colgantes de cuerda elástica con notas fijadas o cajas con tarjetas y recuerdos.

Una U metálica rescatada de un viejo letrero, *arriba*, fue transformada en un tablón de avisos gráfico que se ve bien en casa en un estudio, en un cuarto para proyectos o en un pasillo. Colocada sobre un estante o fijada en una pared, proporciona suficientes clips magnéticos. **Una actualización útil de la pintura terciopelo,** *derecha*, convierte un elegante marco dorado en un tablero único. Un tablero de corcho común cubierto con terciopelo de rico color vino se enmarcó como una pintura valorada para elevar las notas cotidianas, los bosquejos y los recordatorios al nivel del arte.

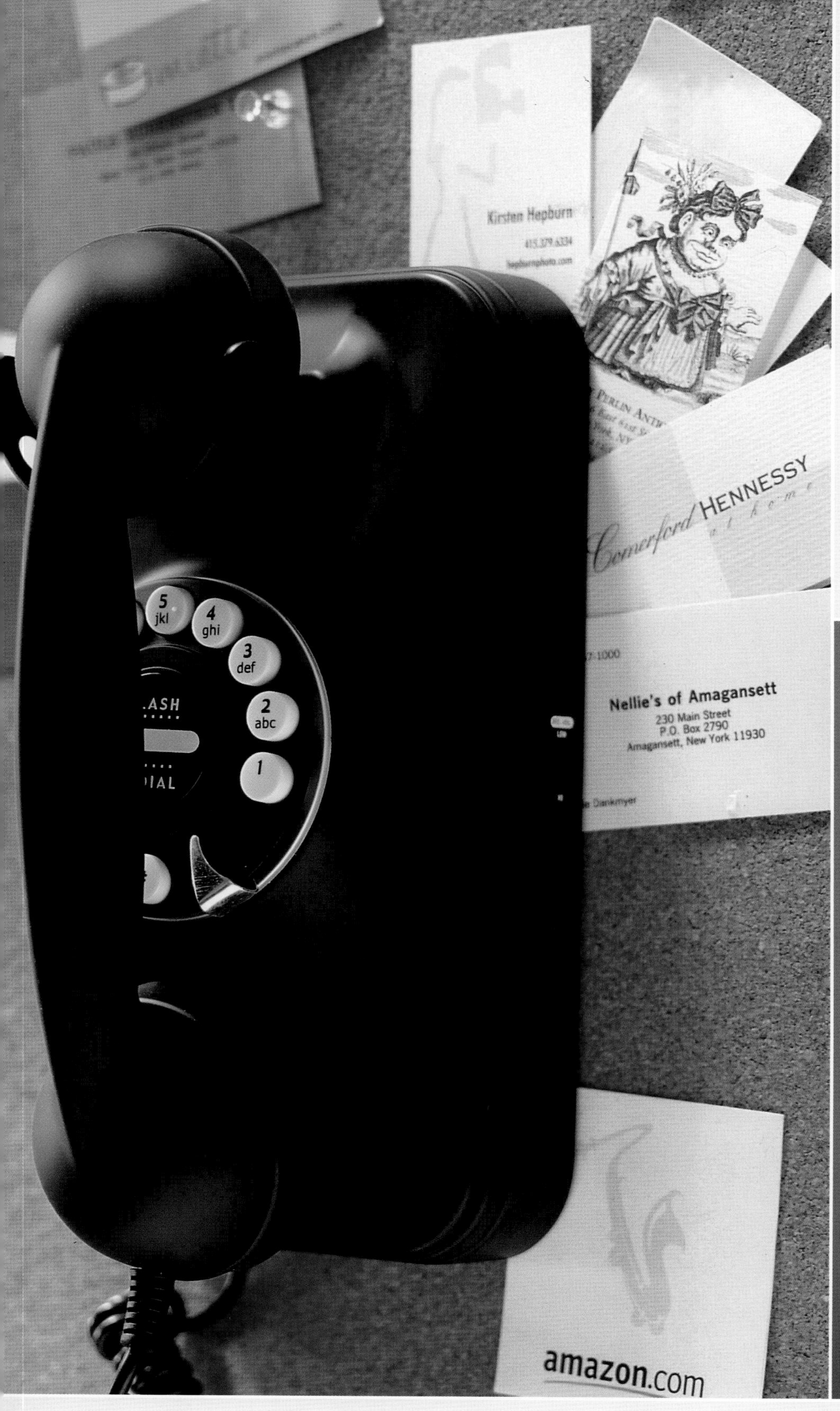

Un tablero y un teléfono antiguos, *izquierda*, son adecuados para aquellos que trabajan mejor con todo en un lugar, desde tarjetas de presentación hasta recetas. **Un marco vacío,** *abajo*, con una hoja de vidrio templado, convierte cualquier pared en la casa en un centro de mensajes. Anote mensajes y números telefónicos directamente en el cristal, con cualquier color que desee (recuerde usar marcadores que se borran en seco o lápices de cera). Fije invitaciones, postales y boletos para conciertos o deportes con cinta para retirarlos con facilidad sin dejar rastro.

IDEAS CON ESTILO

Cómo exhibir colecciones

Una exposición debe capturar su atención tan pronto entre en un cuarto. Sea que tenga obras artísticas con calidad de museo para colgarlas, instrumentos musicales metálicos o postales antiguas para un estante, cada colección tiene sus propias demandas de espacio, luz y el marco adecuado. Una exposición puede ser una presentación o una columna de libros grandes que sirve como mesita, pero las exposiciones deben ofrecen la sensación de descubrimiento. Para crear una atmósfera íntima e invitar a una observación de una colección favorita, coloque las piezas donde puedan ser vistas de cerca y tocadas.

Las maquetas arquitectónicas, *arriba*, están colocadas sobre los pilares como orgullosos ejemplos de la habilidad del arquitecto. Haga alarde de las recompensas del trabajo arduo exhibiendo sus presentaciones, trabajos artísticos o manuscritos, ya sean en progreso o terminados. **Una hilera de libros favoritos,** *derecha*, se mantiene en su sitio mediante una silla de madera miniatura y un marco con tipografía.

Una silla de madera de líneas puras, *izquierda,* sirve como caballete para libros y trabajo artístico. Las exposiciones de colecciones son en especial efectivas cuando combinan lo práctico con lo atesorado en composiciones sorprendentes. **Un estante de CDs,** *abajo*, está adornado con un micrófono de 1940; una Vespa miniatura ocupa el lugar de honor en una exposición centrada alrededor de un tema musical antiguo.

Recursos de un cuarto

En Pottery Barn, creemos que el estilo informal es algo que puede adaptar en todos los espacios de su casa, desde los cuartos las salas hasta los refugios privados. Para este libro, rastreamos centenares de sitios para hallar entornos perfectos para crear cuartos solo para usted. Experimentamos con colores, iluminación, muebles, tapetes, cortinas y accesorios para encontrar las mejores combinaciones para cada espacio. ¿Los resultados? Esta colección de ideas de estilo que, esperamos, lo inspirará y deleitará.

Cada entorno elegido para este libro fue único e interesante. Aquí le proporcionamos un poco más acerca de cada una de las casas que visitamos, las ideas de estilo que creamos y los elementos individuales que hacen que cada diseño funcione.

Una nota sobre el color: siempre que fue posible en esta lista de recursos, ofrecimos el fabricante real de la pintura y el color de la pintura que se usó en los cuartos mostrados. Anotamos también el color de pintura Benjamin Moore más cercano que combinó (en paréntesis). Debido a que los procesos de fotografía y de impresión de color pueden cambiar mucho la forma en que se ven los colores, es muy importante probar muestras de cualquier color de pintura que considere usar en su casa, donde podrá ver cómo los afecta la luz a diferentes horas del día.

En la oficina en casa

Bajo los aleros de una casa victoriana, esta oficina en el tercer piso con ventanas de gablete da a una concurrida calle de la ciudad.

Espacio La oficina con techo alto comparte el piso superior con la recámara principal. Paredes, techos y chambranas están pintados con el mismo tono de blanco para reflejar la luz y minimizar las sombras creadas por los aleros. Los pisos son de duelas angostas de roble.

Color Paredes (Benjamin Moore Snowfall White OC-118, mate).

Muebles Silla de cuero Grayson, librero Sutton, teléfono Classic Grand, cajas para archivar y base Bedford, tapete resistente de henequén, reloj ReDashboard, cortina Sailcloth y barra Eclipse, todo de Pottery Barn. Mesita pintada con pintura de pizarrón de Benjamin Moore. Sofá de dos plazas capitoneado, computadora Sony Vaio, escritorio antiguo de roble, taburete antiguo para ordeñar y radio Bose Wave.

Iluminación Lámpara de piso de hierro forjado con pantalla de tambor de yute y un par de lámparas de mesa de madera, todas de alrededor de 1950. Pantallas básicas de lámparas PB de Pottery Barn.

páginas 14–19

Trabajar con un plano abierto

La oficina en casa de un arquitecto, este amplio desván está en el piso superior de una casa de estuco construida en 1912.

Espacio La oficina ocupa todo el piso y la estructura expuesta del techo tiene plataformas flotantes para iluminación empotrada. El cubo de la escalera divide el espacio y lo ilumina un tragaluz.

Color Paredes (Benjamin Moore White Chocolate OC-127).

Muebles Silla Malabar, mesas de madera vieja, accesorios del escritorio en piel de colección Folsom, archiveros Bedford y cojines de sarga, todo de Pottery Barn. Sillas de escritorio Aeron de Herman Miller. Equipo de sonido toca Cds de Sony. Computadora Power Mac G4 y pantalla de Apple Computers. Carrito con ruedas de serie de diseñador de All Crate. Cubiertas de escritorio a la medida de Plexiglás.

Iluminación Luces de halógeno empotradas en el techo, lámparas de escritorio de acero de Tensor.

Exposición Maquetas arquitectónicas páginas 27 y 29 de Naylor & Chu. Páginas 24, 25 y 27 de BRU Architects. Modelo grande blanco en el cubo de la escalera de John Owen.

páginas 24–31

Un cuarto de trabajo para invitados

Un cuarto de huéspedes en el ático redecorado de esta casa de estuco de los años treinta sirve como oficina en casa de un escritor.

Espacio En esta diminuta recámara, una paleta toda blanca refleja la luz y hace que el espacio chico parezca más grande. El escritorio y la cama nido crean una línea continua que unifica la pared lejana del cuarto.

Color Paredes (Benjamin Moore Old Prairie 2143-50).

Muebles Sofá cama Thomas, marcos con recuerdos, tapete de abacá, radio antiguo, cojines de retazos de gamuza y teléfono Classic Grand, todo de Lounge, San Francisco. Máquinas de escribir antiguas (izquierda a derecha): Underwood, Argyle P201, Remington Portable, Remington ravel-Riter.

Iluminación Lámparas ajustables de Ikea.

Exposición de novelas de los años cuarenta y cincuenta, cortesía de Helfond Books, San Anselmo, CA.

páginas 32–37

Cómo servirse del color

Esta bonita casa del siglo XIX con 12 cuartos y vista a un parque, fue construida en 1891 y ocupada por la familia durante cincuenta años.

Espacio Aunque el cuarto mide sólo 9' por 10', tiene techos de 12' y ventanas de gran tamaño con molduras talladas decorativas, características de su arquitectura victoriana.

Color Paredes: pintura de amplio espectro Phillips Perfect Colors (Benjamin Moore Straw 2154-50).

Muebles Silla de cuero Ariana, almohada clásica de sarga rayada, kilim Sundari, estante de pared, silla lateral Schoolhouse, bolsones de piel y secante de la colección Folsom y marco de fresno, todo de Pottery Barn. Escritorio Zinc de Swallowtail, San Francisco. Escalera antigua de Zonal, San Francisco. Cajas antiguas de Luck Would Have It, Mill Valley, CA.

Iluminación Lámpara colgante de cocina de latón Cortland y lámpara Haley con pantalla de lino, todo de Pottery Barn.

páginas 46–51

Un cuarto de trabajo en el jardín

Las construcciones anexas a esta propiedad hacen recordar las cabañas antiguas de las plantaciones hawaianas.

Espacio Comparte terreno con otras dos construcciones, esta cabaña se halla detrás de un búngalo Craftsman y está junto a un jardín grande.

Muebles La sombrilla de mercado, el carrito bar galvanizado, la hielera galvanizada, el reloj Everlife, la silla de mimbre Augusta, numerosos cestos y un sistema de pared Daily, son todos de Pottery Barn. La regadera verde y la lata Conservatory son de Smith & Hawken. Topiario de yeso blanco, floreros blancos esmaltados, campana de cristal para proteger plantas, copas aperitivo, quesera de cerámica, tablero con cubierta de arpillera, recipiente de laboratorio, cubetas Vermont y tapete antifatiga. Antigua bola de cristal con mercurio.

Iluminación Linterna de campo antigua.

Exposición Letreros antiguos de frutería de Portobello Market, Londres. Colecciones antiguas de candados y herraduras.

páginas 58–65

Un espacio de trabajo acogedor

Esta casa de 1884 fue construida como habitaciones del jardinero en una propiedad remodelada en 1998.

Espacio Cuartos gemelos flanquean una entrada; esta suite de oficina en casa tiene persianas de madera a la medida. Los pisos de abeto se extienden por toda la casa.

Color Paredes (Benjamin Moore Celadon Green 2028-60).

Muebles Asientos Westport de sarga, marcos y cubo para almacenaje Lewis, todo de Pottery Barn. Silla de escritorio Aeron de Herman Miller. Pedestales inspirados en Brancusi y libreros en escalera originalmente diseñados para exhibidores. Silla contrachapada contemporánea. Florero blanco alto Kosta Boda y jarrón de cerámica, ambos de Verdi, San Francisco. Botellas de cristal sopladas a mano de Polonia.

Iluminación Luces de galería de Pottery Barn. Lámpara de pinza de Target.

Exposición Caballete de Flax Art & Design, San Francisco. Pizarrón blanco magnético de Ikea. Posters botánicos antiguos del mercado de pulgas Clignancourt, en Francia. Marcos de Painter's Place, San Francisco.

páginas 72–79

Calma en un estudio en la recámara

Esta cabaña renovada tiene ventanas grandes a la medida para aprovechar la vista de una colina.

Espacio Durante la renovación, hecha por el arquitecto Andrew Mann, el color gris de la pintura en el ribete del hueco de la ventana fue elegido para reflejar los patrones de sombras en la recámara, al moverse el sol durante el día.

Color Paredes (Benjamin Moore White Diamond 2121-60). Franja del arco (Benjamin Moore Gray Cashmere 2138-60).

Muebles Banco y mesa de comedor Bayley, silla de oficina Megan, tapete tipo tablero, cortinas romanas Sausalito, cojines lumbares de piel, ropa de cama PB Basic Hemstitch, edredón de seda y terciopelo, cesto de alambre y cestos de mimbre, de Pottery Barn. Computadora Sony Vaio. Cajas de resina ámbar de Martha Sturdy, Vancouver, Canadá.

Iluminación Lámpara de cristal de Pottery Barn.

Exposición Trabajo artístico en exhibición (de izquierda a derecha): Leaf Study #1, 2002; Leaf Study #7, 2003; Leaf Study #2, 2002; todo de Thomas Hayes y cortesía de Sears-Peyton Gallery, Ciudad de Nueva York.

páginas 82–87

La luz adecuada, de día o de noche

Esta combinación de oficina en casa está en una ladera con vista a los viñedos.

Espacio Las construcciones campestres tradicionales que se hallan en viejos viñedos inspiraron la estructura expuesta de la oficina.

Color Paredes (Benjamin Moore White Heron OC-57).

Muebles Sillas Megan con fundas de sarga, bolsones de lona, tapete de henequén de color, mesita de café Cabot, almohada Batik, cojines rayados Veranda y cubrecama, todo de Pottery Barn. Archivero de lona azul y tablero de recordatorios de Hold Everything. Bote de lona de Todd Oldham para Target. Computadora Sony modelo SDM 981. Bolsas de lona para contratista de herramientas Klein.

Iluminación Candelabros de pared y lámpara lámpara de tacto de Pottery Barn. Lámparas de Ikea.

Exposición Jarrones antiguos de Pottery Barn Jonathan. Tazones azules rayados antiguos Staffordshire. Tarjetas ilustrativas antiguas francesas y embudos esmaltados de los años veinte, de Yankee Girl, San Anselmo, CA.

páginas 96–103

Cómo equipar un taller

El diseño de esta oficina de un carpintero emplea técnicas para construcción de botes que aprendió el dueño de la casa de su padre constructor de barcos.

Espacio La oficina de 240 pies cuadrados está construida con madera sobrante después del proceso de aserrado. El piso es de roble blanco y el ribete es de secuoya.

Color Tablero (Benjamin Moore Hamilton Blue, Ext. Rm).

Muebles Cestos Savannah, aparador Bedford y silla de escritorio Schoolhouse, todo de Pottery Barn. Tapete industrial antifatiga de Home Depot. Taburete para dibujo antiguo de Yankee Girl, San Anselmo, CA.

Iluminación Lámpara parisiense para trabajo de Pottery Barn. Lámpara de escritorio con clip.

Exposición Colección de herramientas antiguas para madera cortesía de John Owen. Charolas de teca fabricadas a la medida, abeto Douglas y cerezo de Arch Design, San Rafael, CA. Artículos de madera arriba del marco de la ventana: pedestal inspirado en Brancusi, cilindro de pino blando, avión de madera antiguo, tazón de palo de rosa.

páginas 112–119

Una oficina organizada

Los dueños de la casa diseñaron esta estructura con puertas de cristal estilo garaje que se abren hacia la ladera de una colina.

Espacio El desván de la oficina mide 19′ de largo y contiene una pared librero que se desliza, que separa la recámara principal del espacio de trabajo. El escritorio de siete pies de largo fue fabricado a la medida para el espacio.

Color Paredes (Benjamin Moore Powder Sand 2151-70).

Muebles Sofá estudio B, silla de cuero Grayson, cesto Savannah, tapete Gabbeh, carrito con ruedas y cojines de piel, todo de Pottery Barn. Tableros magnéticos en estantes fabricados a la medida. Botes de acrílico para almacenaje de Hold Everything.

Iluminación Lámpara de piso Jean-Paul y lámpara de mesa de Pottery Barn.

Exposición Caballete de pared de Pottery Barn. Fotografía en blanco y negro en el caballete de pared de Darryl Estrine.

páginas 128–135

Un día festivo de trabajo

Rodeada de jardines con rosas y altos setos, la porción frontal de esta casa fue construida en 1856, con una adición en 1930.

Espacio La oficina de 18′ por 9′ es una terraza recámara en un segundo piso, convertida en la década de 1930. Se conecta con el resto de la casa a través de la recámara principal.

Color Paredes (B. Moore Nantucket Fog AC-22, semi brillante). Ribete (Benjamin Moore Chantilly Lace, OC-65).

Muebles Tapete de yute, silla de mimbre Augusta, bancas Farmhouse, mesa Farmhouse, charola de pewter Estate, cestos Savannah y cojín de lino, todo de Pottery Barn. Toalla rayada antigua de Williams-Sonoma. Mesa pintada en los años de 1920. Carátula de reloj antigua, campanas de Pyrex, antiguo carrito para cubiertos pintado, escurridor de platos antiguo, tacitas de pewter y de plata y copas del amor, llaves de porcelana usados como llaveros y caja violeta para timbres. Portacartas arquitectónicos recuperados (rejillas de respiración del ático.

Iluminación Lámpara Claro de Pottery Barn.

Exposición Las estrellas de mar están etiquetadas con los nombres de las playas donde fueron halladas.

páginas 145–51

Lecciones del estudio de un pintor

Esta cabaña fue convertida en un estudio por su dueño artista. La parte posterior da hacia un pequeño patio jardín.

Espacio La estructura de vigas se dejó expuesta para añadir altura al cuarto y las lámparas de pinzas se usaron para mantener el cableado al mínimo.

Color Paredes (Benjamin Moore Sebring White, OC-137).

Muebles Silla Schoolhouse, sistema de archivo modular Bedford, bolsones de lona y estantes modernos, todo de Pottery Barn. Escritorio de Plexiglás diseñado a la medida. Silla antigua pintada y estarcida. Carrito antiguo para carpintero, archivero plano de madera y colección de baúles.

Iluminación Lámparas de pinza

Exposición Pinturas de aceite en lienzos de 16″ por 16″ de Joyce Robertson, www.joycerobertson.com.

páginas 162–167

Galería en una oficina en casa

Construida en 1911 con un subsidio Carnegie, esta casa era la biblioteca de la ciudad y fue convertida en residencia el inicio de la década de 1970.

Espacio La casa de dos niveles mide 4,600 pies cuadrados, con piso de abeto Douglas y ventanas originales detalladas con la cruz escocesa de San Andrés en la parte superior.

Color Alféizares de las ventanas y estantes empotrados (Benjamin Moore Cream Silk, OC-115). Techo (B. Moore Simply White, OC-117). Mostrador, unidad de estantes y zócalos (B. Moore Universal Black, 2118-10, muy brillante).

Muebles Taburetes de bar gustavinos, sillas Charleston, marcos de galería, escritorio Aris con repisa, silla gustavina, libreros Sutton, tablero de corcho, tapete de henequén Heathered y marcos de galería, todo de Pottery Barn. Estantes originales de biblioteca. Baúl antiguo usado como mesa ocasional.

Iluminación Reflectores y auto polo proporcionados por Da Vinci Fusion, San Francisco. Rieles de iluminación de halógeno.

Exposición Colección de fotos antiguas, gabinete de coleccionistas antiguo.

páginas 170–177

Glosario

Abacá También llamado cáñamo de Manila, es una fibra excepcionalmente fuerte; se obtiene de una planta de Filipinas, donde ha sido cultivada desde el siglo XVI. El abacá ha llegado a ser un producto textil natural duradero, usado en cordeles, tapetes o telas.

Abeto Madera blanda duradera, la madera de este árbol de hoja perenne se utiliza utilizada en muchos elementos de construcción interior, inclusive puertas, paneles, marcos de ventana, techos, molduras y adornos.

Alero Parte del techo o tejado que sobresale a la fachada.

Algas marinas Comercialmente cultivadas en China, estas hierbas producen una fibra que semejante a la paja y más suave que el yute. La durabilidad de la fibra la hace adecuada para fabricar tapetes propios para zonas de tránsito intenso de personas.

Almacenaje graduado Contenedores o anaqueles de diferentes tamaños que se apilan del más grande al más pequeño, a menudo para aprovechar al máximo un espacio reducido.

Almacenamiento integrado Puede tratarse de gabinetes, anaqueles o armarios integrados a un espacio y diseñados para formar parte de la arquitectura de la habitación. Al integrarlos a la pared, el almacenamiento integrado ocupa menos superficie de piso que si se trata de un mueble y ayuda a reducir el desorden visual.

Aluminio anodizado Tratado con un proceso electrolítico que crea una capa protectora, el aluminio anodizado es más fácil de producir que el acero, aunque igualmente resistente. A mediados del siglo XX, el mobiliario de oficina metálico fabricado en serie era comúnmente de este material.

Archiveros para planos Estos gabinetes tienen lejos, gavetas extendidas, anchas y son ideales para almacenar ducumentos grandes como pruebas azules, mapas, planos de arquitecto, papel artesanal o pinturas y dibujos.

Arpillera Tejido flojo y basto hecho de yute, de lino, o de cáñamo, la arpillera a menudo se utiliza con fines agrícolas u hortícolas. La apariencia natural y rústica de la arpillera agrega un cómodo aire campirano a la decoración de un cuarto.

Beadboard El tipo común de paneles revestidos con madera. Los paneles *beadboard* llegaron a ser muy comunes a mediados del siglo XIX y se hicieron populares en la arquitectura victoriana.

Caoba Madera dura café rojiza cuyo color se vuelve más profundo y más rico a medida que envejece. Apreciada por su durabilidad en la decoración de interiores y en muebles por su variado y hermoso grano.

Cinc Este elemento metálico cristalino tiene un brillo inicial semejante al del acero inoxidable, pero con el tiempo se opaca y crea una pátina grisácea. Apreciado para su acabado levemente antiguo, el cinc a menudo se usa como capa protectora del hierro o el acero, proceso que tiene como resultado el metal galvanizado.

Cortinas romanas Mediante aros y cuerdas, se levantan desde el piso y crean dobleces horizontales. Una cortina romana es plana cuando se extiende y cubre todo el vidrio de la ventana.

Cromo bruñido Elemento metálico duro que toma un gran lustre brillante; la chapa de cromo se usa en el mobiliario para prevenir la corrosión. Cuando se cepilla, el acabado generalmente reflejante se opaca y la superficie gana un brillo liso, plateado.

Cuadro con caja protectora Cuadro con costados que cierran y que permite exhibir pinturas, fotografías, libros y recuerdos tras el vidrio.

Cutí Originalmente usara para hacer cubiertas de colchones y almohadas, este tejido fuerte y apretado de algodón tiene una pauta de rayas sencillas contra un fondo natural.

Ergonómico La ergonomía se centra en el diseño y la aplicación de objetos para la interacción segura y eficiente con las personas. La ergonomía de la oficina se centra generalmente en la salud, en la comodidad y en la seguridad de los trabajadores en sus escritorios.

Esmalte Trabajo que se hace sobre un metal con el esmalte, que es un barniz vítreo. Las vasijas esmaltadas son adecuadas para almacenar afuera o en zonas húmedas, como el baño, debido a que son durables y anticorrosivas.

Halógeno Moderno refinamiento del foco incandescente, las lámparas de halógeno se llenan de este gas y ofrecen una luz blanca y brillante; son de tamaño compacto, eficientes en el uso de energía y con una vida más larga que la de la bombilla incandescente. El halógeno crea menos luz amarilla que los focos tradicionales.

Hierro colado o fundido A veces confundido con el hierro forjado, el hierro fundido se hace vertiendo hierro líquido en un molde para crear una forma decorativa o práctica.

Hierro forjado Tipo de hierro que puede doblarse de distintas maneras para crear elementos arquitectónicos decorativos y duraderos, como parrillas, muebles, botelleros y barandales. Las formas decorativas incluyen arcos, espirales y figuras clásicas. Hoy, el hierro forjado puede ser en realidad acero.

Kilims Estos tapetes reversibles y delgados de la lana se originaron en los pueblos nómadas de Irán, de Iraq, Pakistán y Turquía. Diseñados para colocarse en los arenosos pisos del desierto, representan motivos atrevidos y complejos, y cada uno representa a una tribu o región.

Lámparas articuladas Este tipo de iluminación, especialmente giratorio, llamadas también lámparas de brazo, permiten la instalación fija y dirigir la luz en cualquier dirección.

Lápices de cera Usados para marcar superficies lisas como vidrio, plexiglás o metal, estos lápices son útiles para tomar notas temporales, porque las marcas pueden borrarse fácilmente.

Lino Tejido de las fibras de la planta de lino, que puede ser tan fino y puro como un pañuelo o tan vasto como una lona. Con la doble resistencia del algodón, el lino se ablanda con cada lavada. Este tejido versátil se utiliza comúnmente para estuches o tapicería. Las cortinas ligeras de lino permiten la intimidad al dejar pasar apenas una difusa luz del sol.

Lona Esta tela muy resistente es comúnmente usada en la fabricación de productos deportivos, toldos y muebles de jardín. Cuando se usa para cubiertas, estuches o almohadas, le da a la habitación un toque informal y relajado. La lona puede ser de lino, cáñamo o algodón, y está disponible blanqueada o cruda, y en una variedad de colores.

Luces de galería Llamadas así porque en las galerías y los museos se emplean estas luces para iluminar obras de arte; las luces de la galería usan bombillas de halógeno ajustables y de bajo nivel que dirigen la luz a los cuadros o a cualquier objeto en exhibición.

Maleta Pieza de equipaje para ser llevada cómodamente; las valijas también pueden hacer las veces de discreto almacenamiento cuando se usa como buró o en una torre de maletas.

Mármol Utilizado para superficies interiores como paredes, muebles y encimeras, el mármol pulido tiene una superficie brillante que refleja la luz y acentúa el color de esta hermosa piedra.

Mesa de carpintero Mesa sencilla que se hace colocando una tabla apoyada en dos de dos burros de madera, cada uno con patas inclinadas, y que originalmente la usaba el carpintero para apoyar la madera que debía cortar.

Metal galvanizado Está revestido con una capa de otro metal, como el cinc, para volverlo resistente a la oxidación. Los recipientes de metal galvanizado son buenos para para usarse en exteriores y zonas húmedas.

Mimbre Se elabora tejiendo las varitas correosas y flexibles de las mimbreras, y de plantas como el bambú, la caña, el sauce, etcétera, alrededor de un marco; el mimbre se usa comúnmente para hacer canastas y muebles. Es un material duradero, que puede durar un siglo de uso normal.

Mohair Tejido hecho de pelo de cabras de Angora; el mohair se caracteriza por ser liso y sedoso al tacto. El término mohair puede referirse al hilo, al tejido o a una imitación.

Molduras Este término arquitectónico se refiere a la tira decorativa de madera tallada que remata puertas, ventanas, techos y paredes.

Objetos arquitectónicos Son las partes antiguas rescatadas de una edificación, incluyendo molduras, columnas, repisas, ebanistería, cornisas y marcos de ventanas. Los objetos arquitectónicos antiguos han llegado a ser accesorios caros, de coleccionista, que dan un toque imaginativo y único a la decoración de un cuarto.

Pátina Cuando los efectos de la edad y el uso transforman la superficie de un material, esto a menudo se conoce como pátina. Un ejemplo clásico es la capa verde que se forma en el cobre o el bronce con el tiempo, cuando se exponen a los elementos de la intemperie.

Pino Una de las maderas más blandas, el pino viene de una conífera (que produce conos). Todavía, es una opción popular para muebles y pisos debido a su aspecto rústico y nudoso.

Pintura de leche Combinación de caseína (proteína de leche en polvo), cal y pigmentos fijos de tierra, la pintura de leche fue un acabado de interiores popular durante el periodo Colonial de Estados Unidos. Ambientalmente amistoso, esta pintura seca rápidamente y es un acabado duro y liso que puede lijarse, aceitarse, encerarse, pulirse o barnizarse.

Pintura para pizarra Esta pintura permite transformar muebles, paredes y pisos en pizarras. Para mejores resultados, la superficie debe ser lisa; las superficies no pintadas previamente, requieren una capa de sellador o pintura base antes de la aplicación.

Plano abierto Espacio diseñado con pocas paredes u obstrucciones arquitectónicas que crea un espacio grande y alto. En una zona de trabajo, un plano abierto permite la creatividad en el acomodo de muebles; los escritorios pueden ponerse en medio de un cuarto para tener un acceso de 360 grados.

Plexiglás Es una marca registrada que se refiere a las láminas de acrílico transparente que se usan como barreras protectoras casi de la misma manera que se emplea el vidrio. Cubriendo una mesa o un escritorio, el plexiglás protege la superficie y crea un área de exhibición bajo el acrílico.

Rejillas de alambre Estos anaqueles metálicos y resistentes se crearon para uso industrial en bodegas, hospitales y restaurantes. El calibre del alambre varía, pero generalmente está diseñado para soportar cargas pesadas. Por lo común se venden como sistemas modulares, y están disponibles tanto en acabado pulido como recubiertos de vinilo.

Revestimiento de madera (wainscoting) Se desarrolló para prevenir el daño a las paredes en áreas de mucho tránsito; este revestimiento se refiere a paneles de madera que cubren la parte inferior de una pared. El término también puede referirse a paneles de piso a techo.

Sarga Este tejido suave y duradero es por lo general de algodón y muy apretado, y tiene una trama diagonal levantada. Es una buena elección para estuches o tapicería; la mezclilla y la gabardina son ejemplos de sarga.

Secreter También llamado escritorio de persiana, el secreter es un escritorio con una sección para libros y una tabla de escritura que puede cubrirse para presentar un frente limpio y ordenado. Desarrollado a partir de escritorios portátiles, el secreter se originó en Inglaterra y EEU en los siglos XVII y XVIII.

Silla Aeron Producida por Herman Miller, un fabricante conocido por sus muebles de oficina contemporáneos y clásicos modernos, la silla Aeron fue diseñada en 1994 por Don Chadwick y Bill Stumpf. Alabada como un adelanto innovador en el diseño de silla de oficina, la Aeron es ligera y ergonómica.

Silla campestre (de Adirondack) Durante finales del siglo XIX, el centro vacacional Parque de Adirondack en Nueva York llegó a ser la inspiración para un estilo de muebles al aire libre hechos a mano que utilizaron tablas ásperas de pino.

Tablero Tabla hecha de madera aglomerada con perforaciones uniformemente espaciadas para ganchos, ménsulas o clavijas. Pueden colgarse de los ganchos las herramientas u otros artículos, donde quedarán accesibles y a la vista. El tablero puede encontrarse también en versiones de metal. También es cualquier tabla usada para pegar notas, recordatorios y otros mensajes. Un tablero puede hacerse con cualquier material en que puedan ponerse notas.

Tapete antifatiga Utilizado principalmente en ámbitos laborales industriales, los tapetes antifatiga ofrecen una superficie mullida que facilita el estar de pie por largos periodos. Generalmente hechos de hule, estos tapetes son antiderrapantes y duraderos.

Tela de gallinero Esta malla metálica del tiene una pauta hexagonal y a menudo se usa para cercar. Para un aspecto francés, reemplace el vidrio de la alacena o del aparador con tela de gallinero.

Ventanas abuhardilladas Este tipo de ventanas se pone verticalmente en un pequeño aguilón que se proyecta de un techo inclinado; a este tipo de ventana se le llama buhardilla.

Vidrio de leche Llamado así por su característica tonalidad blanca, el vidrio de leche también puede encontrarse en azul o rosa. Estas piezas muy coleccionables, a menudo son intrincadamente detalladas y hechas en moldes; las piezas con tapa y motivos animales son especialmente populares.

Vitela o papel de vitela La vitela se hacía tradicionalmente de piel de becerro, cordero o cabritilla, y se usó alguna vez como material de escritura. El moderno papel de vitela se hace de fibras vegetales y es apreciado por su suavidad y opacidad, lo que la vuelve una buena elección para las pantallas de las lámparas.

Zonificación Dividir un cuarto o un espacio en zonas o secciones para propósitos diferentes con la ayuda de muebles, iluminación o accesorios. Por ejemplo, un gran cuarto quizás tenga zonas designadas para comer, para descansar o trabajar en la computadora.

Índice

Agradecimientos

Editor del Proyecto
Allison Serrell

Editor de Corrección
Peter Cieply

Diseñadores
Adrienne Aquino
Marisa Kwek
Jackie Mancuso

Ilustradores
Paul Jamtgaard
Nate Padavick

Índice
Ken DellaPenta

Ayudantes de Fotografía
Sean Dagen
Kirsten Hepburn
David Shinman

Ayudantes de Diseño
Dorsey Blunt
Daniel Dent
Csilla Horvath

Jefe de Coordinadores de Merchandise
Tim Lewis

Coordinadores de Merchandise
Peter Jewett
Mark Johnson
Dan Katter
Bryan Kehoe
Peter Martin
Nick McCormack
James Moorehead
Paul Muldrow
Grady Schneider
Mario Serafin
Roger Snell

Weldon Owen agradece a los equipos editoriales y de fotografía su creatividad y dedicación para producir este libro, y agradece a las siguientes personas y organizaciones por su valiosa colaboración en:

Permitirnos fotografiar sus casas maravillosas
Howard y Lori Backen, Judith Thompson y Cindy Brooks, Tara Crawford y Chris Frederiksen, Lisa Fuerst, Jennifer Kelly, Grace Livingston, Dr. Larry y Arlene Klainer, Jim y Kathryn Lino, Henry Kahl e Ian Nabeshima, Karen O'Leary, Helie Robertson, Joyce Robertson, Rod Rougelot y su maravilla canina Becker, Gary Greenfield y Reesa Tansey, Celia Tejada, Bernardo Urquietta, Jessica Seaton y Keith Wilson, y Patrick Wynhoff

Proveernos de obras de arte y accesorios
Arch Design, Lee Bottorff, BRU Architects, Darryl Estrine, Da Vinci Fusion, Eurostyle, The Gardener, Helfond Books, Lounge, Luck Would Have It, Sima Kavoosi, Naylor & Chu, Ron Oliver, The Painter's Place, Gaines Peyton (Sears-Peyton Gallery), Helie Robertson, Joyce Robertson, Sienna Antiques, Sony Computers, Swallowtail, Mike Tittel, Celia Tejada, Timeless Treasures Vintage Interiors, Verdi, Keith Wilson, Yankee Girl, Zinc Details, and Zonal

Restauración y locaciones
Kass Kapsiak y Peggy Fallon (Catering by Kass), y Andrew Mayne, Arlene Susmilch, y Frederick Scott (Stir Catering)

Darnos asistencia, asesoría y apoyo
Jim Baldwin, Emma Boys, Garrett Burdick, Kevin Crandall, Elizabeth Dougherty, Julia Gilbert, Arin Hailey, Mary Ann Hall, Holly Harrison, Meghan Hildebrand, Sam Hoffman (New Lab), Anjana Kacker, Livia McCree, Ginny McLean, Charlie Nelson, Ginny Pendleton, Pottery Barn Creative Services, Juli Vendzules, and Laurie Wertz

Agradecimiento del autor
Gracias especiales para Peter Cieply, Sarah Lynch, Shawna Mullen y Allison Serrell.

Toda la fotografía de Mark Lund y el diseño de Michael Walters, excepto por:
Portada y páginas 1, 8, 10–11, 42–43, 58–59 fotos de Melanie Acevedo y el diseño de Anthony Albertus. Páginas 19–20, 40 (arriba, izquierda), 41 (arriba derecha), 54–55, 66 (izquierda), 110, 140–141, 156–157, diseño de Greg Lowe.

Acerca de Pottery Barn

Fundada en 1949 como tienda en Manhattan, Pottery Barn ha evolucionado hasta llegar a ser fuente primordial de estilo en Estados Unidos. Por más de 50 años Pottery Barn ha brindado comodidad, estilo e inspiración a la gente que ama su casa. Usted puede comprar en Pottery Barn llamando al teléfono 1-800-922-5507, o visitando nuestra página www.potterybarn.com o visitando una de nuestras tiendas que queden cerca de usted.